Dites oui
au
changement

Catalogage avant publication de la Bibliothèque nationale du Canada

Cappannelli, George

　　Dites oui au changement

　　Traduction de : Say yes to change.

　　1. Changement (Psychologie).　　2. Événements stressants de la vie.
I. Cappannelli, Sedena C.　　II. Titre.

BF637.C4C3614　　2004　　　　　　　　158.1　　　　　　C2004-940953-0

DISTRIBUTEURS EXCLUSIFS :

• Pour le Canada
  et les États-Unis :
  MESSAGERIES ADP*
  955, rue Amherst
  Montréal, Québec
  H2L 3K4
  Tél. : (514) 523-1182
  Télécopieur : (514) 939-0406
  * Filiale de Sogides ltée

• Pour la France et les autres pays :
  INTERFORUM
  Immeuble Paryseine, 3, Allée de la Seine
  94854 Ivry Cedex
  Tél. : 01 49 59 11 89/91
  Télécopieur : 01 49 59 11 96
  Commandes : Tél. : 02 38 32 71 00
  　　　　　　　Télécopieur : 02 38 32 71 28

Pour en savoir davantage sur nos publications,
visitez notre site : **www.edhomme.com**
Autres sites à visiter : www.edjour.com
www.edtypo.com • www.edvlb.com
www.edhexagone.com

• Pour la Suisse :
  INTERFORUM SUISSE
  Case postale 69 - 1701 Fribourg - Suisse
  Tél. : (41-26) 460-80-60
  Télécopieur : (41-26) 460-80-68
  Internet : www.havas.ch
  Email : office@havas.ch
  DISTRIBUTION: OLF SA
  Z.I. 3, Corminbœuf
  Case postale 1061
  CH-1701 FRIBOURG
  Commandes : Tél. : (41-26) 467-53-33
  　　　　　　　Télécopieur : (41-26) 467-54-66
  　　　　　　　Email : commande@ofl.ch

• Pour la Belgique et le Luxembourg :
  INTERFORUM BENELUX
  Boulevard de l'Europe 117
  B-1301 Wavre
  Tél. : (010) 42-03-20
  Télécopieur : (010) 41-20-24
  http://www.vups.be
  Email : info@vups.be

L'ouvrage original a été publié
par Walking Stick Press,
succursale de F&W Publications, Inc.,
sous le titre *Say Yes to Change*

Dépôt légal : 3e trimestre 2004
Bibliothèque nationale du Québec

ISBN 2-7619-1900-9

Gouvernement du Québec – Programme de crédit
d'impôt pour l'édition de livres – Gestion SODEC
– www.sodec.gouv.qc.ca

L'Éditeur bénéficie du soutien de la Société de développement des entreprises culturelles du Québec
pour son programme d'édition.

Nous reconnaissons l'aide financière du gouvernement du Canada par l'entremise du Programme
d'aide au développement de l'industrie de l'édition
(PADIÉ) pour nos activités d'édition.

George et Sedena Cappannelli

Dites oui au changement

Traduit de l'américain par Danièle Bellehumeur

LES ÉDITIONS DE L'HOMME

Avant l'engagement, on hésite, on risque d'abandonner.
Une règle fondamentale préside à chaque premier pas,
à chaque geste créateur — tant d'idées lumineuses,
tant de plans extraordinaires furent décapités parce
qu'on l'avait ignorée. À l'instant même où l'on s'engage,
la providence nous tend la main. Toute une série
de circonstances se déploient pour nous soutenir,
des événements qui, autrement, n'auraient
jamais vu le jour.
W. H. MURRAY

Guide et aide-mémoire

Les 25 stratégies gagnantes en période de transition

1. **Commencez par le commencement.** C'est l'évidence même, pourtant, nous procédons souvent autrement. Nous abandonnons subitement une tâche ou nous sautons à pieds joints dans un projet sans avoir la moindre idée de l'objectif à atteindre, des moyens d'y parvenir ou des alliés sur qui compter. Bien souvent, nous ignorons jusqu'aux motifs qui nous poussent à entreprendre ce périple. Avant d'amorcer tout changement, prenez le temps de créer un certain équilibre autour de vous ; harmonisez votre vie. Ainsi, vous aurez toutes les chances de réussir. Consacrez-vous d'abord aux choses essentielles. *Page 31.*

2. **Dites oui !** C'est sans doute l'étape la plus importante : apprendre à dire oui — plutôt que non — à la vie et aux multiples changements. La clé du succès, c'est de savoir dire oui aussi souvent que possible aux expériences et aux personnes que la vie nous présente, à une foule d'occasions plus constructives, inspirantes, créatives et aventureuses les unes que

les autres. Dites oui à vos rêves, à vos talents uniques, à vos qualités particulières et à vos aspirations les plus profondes. *Page 45.*

3. **Donnez-vous des assises solides.** Sachez vous construire un corps sain et un esprit sain, trouvez votre équilibre émotionnel, découvrez votre spiritualité et écartez les soucis financiers. Ce sont les éléments essentiels d'une vie réussie. Comment édifier des assises solides ? À chacun sa méthode, mais voici quelques vérités universelles : il est bon, voire nécessaire, de suivre un programme d'exercices physiques et un régime alimentaire personnalisé, de prendre le temps de développer son intelligence émotionnelle et sa conscience, et, par-dessus tout, d'écouter ce guide intérieur qui nous habite tous en s'adonnant à la contemplation, à la prière, à la méditation et en gardant le silence. Si vous respectez ces principes essentiels, vous saurez dire oui au changement. *Page 55.*

4. **Oubliez le passé.** Toutes ces vieilles histoires que nous ressassons — la personne que nous avons été, une relation depuis longtemps terminée, etc. — ne sont rien de plus que de lourdes valises que nous transportons avec peine sans jamais nous en délester. Elles nous encombrent, gênent nos mouvements et, surtout, nous empêchent de nous concentrer librement sur ce qui est (le présent) et sur ce que nous désirons atteindre (le futur). Déposez vos valises remplies de vieux souvenirs et laissez-les dormir dans un coin… Vous les rouvrirez le moment venu — au cours d'un après-midi pluvieux, bien calé dans un fauteuil à siroter un thé ou un chocolat chaud. Découvrez le bonheur de vivre en toute liberté, dans la légèreté et la conscience du renouveau qui s'opère à chaque instant. *Page 67.*

5. **Célébrez l'excellence !** Il n'existe pas de véritable synonyme au mot « excellence ». Ce terme, qui connote l'élégance et le pouvoir, évoque tout un mode de vie. L'excellence n'est pas un but, mais un processus de façonnement de nos pensées, de nos paroles et de nos actes qui doit favoriser une existence inspirée. Lorsque l'excellence devient la norme chez un individu, ce dernier est à l'abri de l'autotrahison, protégé de la médiocrité. Viser l'excellence, c'est offrir le meilleur de soi en tout temps et découvrir le sens profond de la *confiance* et de la *joie intérieure*. *Page 79.*

6. **Faites taire le censeur intérieur.** Le musellement de votre censeur intérieur vous permet enfin de vivre votre vie avec plus de passion et d'authenticité, d'exprimer librement vos pensées, vos opinions et vos sentiments ; et cela vous incite à ne plus mener une double vie — une vie intérieure faite de courage, d'audace et d'honnêteté ; et une vie extérieure marquée par la timidité, la complaisance et la fuite. *Page 89.*

7. **Sachez être présent, comprendre et accepter ce qui est.** Chercher à se protéger ou à se battre, c'est donner plein pouvoir à cette chose, à cette personne ou à cette croyance qui vous assaille. Mais n'est-ce pas l'occasion rêvée de faire un autre choix, de relever le défi qui s'offre à vous ? Vous devez assumer pleinement vos paroles, vos pensées et vos actes, et les utiliser pour comprendre et accepter ce qui doit être. Ce faisant, vous pouvez reconnaître votre mécontentement à la suite d'un événement ou face à vos propres pensées, paroles ou actes. Alors seulement pourrez-vous agir pour changer les choses. Voilà la principale clé de la réussite : accepter la pleine responsabilité de sa vie et choisir la présence à soi plutôt que la séparation ; accepter ce qui est plutôt que de fourbir ses armes. *Page 99.*

8. **Honorez vos désirs et vos aspirations.** Trop souvent, votre passion et votre énergie vitale demeurent emprisonnées dans le silence de vos besoins secrets, inavoués et inassouvis. Vous devez prendre votre courage à deux mains et nommer vos véritables besoins. Vous pourrez alors distinguer vos désirs les plus chers et trouver le moyen de les réaliser. Savoir honorer ses désirs et ses aspirations profondes, c'est participer pleinement à la vie et expérimenter la joie. *Page 113.*

9. **Agissez avec détachement, évitez de réagir!** Votre attachement limite vos choix. C'est la vérité vraie! Oui, il est possible de poursuivre l'excellence avec passion, de travailler avec assiduité et efficacité pour atteindre ses objectifs sans pour autant être obnubilé par le résultat final. En fait, toute forme d'attachement limite non seulement vos choix, mais aussi vos possibilités et vos chances de réussite. En apprenant à agir dans la neutralité, en maintenant l'équilibre sans réagir excessivement aux événements, vous prenez la route qui mène vers les plus grands accomplissements. *Page 125.*

10. **Prêtez l'oreille à votre dialogue intérieur.** On dit que le meilleur moyen de perdre ses amis, c'est de s'adresser aux gens comme on se parle à soi-même, intérieurement. Portez une attention particulière à votre dialogue intérieur, à ces pensées qui vous traversent l'esprit et qui condamnent tous et chacun — vous, les autres et le monde en général. Cette stratégie gagnante vous invite à modifier votre dialogue intérieur. Vous serez étonné de constater tout le pouvoir que vous aurez sur votre vie en adoptant une pensée positive. Le dialogue intérieur est l'outil par excellence : il vous permet de modifier vos pensées, vos croyances et vos jugements afin d'avoir enfin accès à la vie dont vous rêvez. *Page 135.*

11. **Éliminez les pensées limitatives.** Nos pensées nous tuent. Elles nous assaillent à un rythme effréné. Notre esprit carbure à mille mots la minute et à cinquante mille pensées par jour, répétant sans relâche les ritournelles qui finissent par se cristalliser en croyances, en opinions et en jugements souvent négatifs, non filtrés et non censurés. Apprendre à reconnaître ses pensées négatives et à les modifier par des pensées positives puissantes, c'est apprendre à dire oui au changement, oui à une vie formidable et réussie. *Page 145.*

12. **Trouvez l'équilibre.** L'équilibre est essentiel à une vie pleine et heureuse. Nous devons tous consacrer notre temps et notre énergie à établir un équilibre entre nos besoins spirituels, émotionnels, mentaux, physiques et financiers. Pour y parvenir, vous devrez examiner tous les aspects de votre vie. Grâce à cette synergie, vous aurez la volonté, l'attention et la capacité nécessaires pour répondre avec enthousiasme et créativité aux changements qui jalonnent la vie. Cet état d'équilibre vous permettra aussi de franchir les obstacles et de profiter pleinement des occasions favorables. *Page 159.*

13. **Évitez toute généralisation, omission ou distorsion.** Pour vivre pleinement sa vie, encore faut-il se montrer honnête. Si vous communiquez de manière évasive, en termes nébuleux ou en généralisant pour, finalement, déformer les faits, les exagérer ou les minimiser, vous vous cachez derrière un écran de fumée ; nul ne saura qui vous êtes vraiment et quels sont vos véritables besoins. Cette stratégie consiste à éviter toute forme de communication obscure — généralisation, omission ou distorsion — qui pourrait vous empêcher de mener une vie pleine et productive, au service de votre pouvoir personnel. *Page 171.*

14. **Explorez le lâcher prise**. Découvrez la magie et la liberté d'explorer de nouvelles avenues, de sortir des sentiers battus, de franchir les balises et les restrictions habituelles issues de votre bagage culturel et social. Nous ne prônons pas ici le mépris de l'autre ou l'insensibilité au nom de la liberté. Il s'agit plutôt d'une invitation à examiner de près vos conditionnements et vos apprentissages pour départager ce qui fonctionne et ce qui ne fonctionne pas, ce qui vous incite à vous fermer ou à vous ouvrir à la vie. Le but est de vous amener à choisir les éléments qui vous élèvent et vous font évoluer. *Page 179.*

15. **Explorez vos côtés masculin et féminin.** Souvent, l'autre sexe est l'objet de notre désir, la cause de notre colère, ou un pur étranger mystérieux dont on se méfie. Cette stratégie est un encouragement à regarder l'autre sexe comme un miroir qui renvoie une image parfaite de certains aspects de vous-même, des aspects restés en friche, ignorés, ou bien projetés sur votre entourage. Libre à vous de regarder cette image et de vous sentir séparé d'elle, ou bien de franchir cette étape pour toucher le cœur de votre être et connaître votre individualité et votre force. *Page 191.*

16. **Devenez un instrument de plaisir.** Dans l'ensemble, notre monde regorge de plaisirs insignifiants et de sensations fortes. Pourtant, vous pouvez faire de votre vie une véritable œuvre d'art. En cessant de porter attention à la forme et aux apparences extérieures pour vous tourner vers l'intérieur, vous élevez votre vie; vous apprenez à explorer votre véritable nature et à devenir une source nourrissante d'énergie sexuelle, émotionnelle, physique, intellectuelle et spirituelle, abondante et authentique pour ceux que vous chérissez et, surtout, pour vous-même. *Page 203.*

17. **Osez briser les conventions.** Vous êtes poli, vous respectez les valeurs sociales et vous êtes bien éduqué mais, trop souvent, vous menez une existence rigide, conventionnelle et trop disciplinée. Ainsi, vous résistez au changement et vous vous encroûtez dans vos vieilles habitudes. Cette stratégie consiste à faire fi des conventions pour explorer votre spontanéité, à briser les normes pour vous mettre en quête de votre authenticité, de votre unicité et de votre originalité. Encore une fois, vous êtes invité à identifier et à mettre en branle des actions positives et transcendantes. *Page 215.*

18. **Refusez les surnoms et les diminutifs.** Cette stratégie consiste à mettre un terme aux sobriquets. Nous sommes des adultes, non ? des êtres puissants et merveilleux, n'est-ce pas ? C'est une grave erreur que de permettre qu'on nous affuble de surnoms ou de diminutifs qui nous ridiculisent aux yeux de tous, y compris de nous-mêmes. Les surnoms sont bien plus dommageables qu'on ne le croit. Rappelez-vous le pouvoir des mots, l'effet pervers d'un dialogue intérieur négatif sur vos croyances et sur votre réussite. Vous devez assumer pleinement votre nom pour vivre pleinement votre rêve. *Page 223.*

19. **Honorez la spontanéité.** Notre première stratégie établit qu'une intention claire et une bonne planification sont des outils essentiels. Or, voici que cette nouvelle stratégie nous révèle que ces éléments peuvent devenir encombrants si nous les utilisons avec excès ou de manière compulsive. Oui, il arrive parfois que l'intention et la planification soient des obstacles à la conscience créative et intuitive ! Après tout, la vie est parsemée d'accidents. Par conséquent, planifiez comme il se doit, puis lâchez prise. Laissez se déployer sous vos yeux toute la magie de la vie, spontanée, joyeuse, remarquable. En bref, soyez disposé à laisser la vie vous étonner. *Page 233.*

20. **Préservez votre confidentialité.** Voici un secret : votre rêve intime, votre vision, votre espoir, votre profonde aspiration peut être une grande source de motivation qui vous permettra de culbuter tous les obstacles à votre objectif. Cette stratégie vous invite à garder votre objectif confidentiel, car c'est ainsi qu'on construit la confiance en soi d'abord, envers les autres ensuite. Lorsque votre rêve sera bien ancré dans la réalité, vous serez prêt à le dévoiler et à faire face à l'opinion d'autrui. Confiez-vous à des gens qui sauront respecter votre droit et votre privilège de poursuivre votre rêve, et ce, même s'ils sont en désaccord. De plus, cette stratégie vous suggère de fuir les commérages dont les effets pervers n'épargnent personne. *Page 243.*

21. **Laissez tomber vos attentes.** Vos attentes sont des rendez-vous que vous donnez à la vie. Or, ces rendez-vous mènent à la déception. Cette stratégie consiste à laisser la vie libre de vous présenter ses cadeaux — les défis à relever et les occasions à saisir. Laissez la vie devenir une aventure vivante, séduisante, exigeante et merveilleuse tout à la fois. Abandonner ses attentes, c'est aller de découverte en découverte, plutôt que de tourner en rond dans un univers familier et parfaitement prévisible. *Page 253.*

22. **Célébrez le silence.** Comment entendre les sages conseils de votre âme au milieu de la cacophonie du monde ? Cette stratégie gagnante consiste à contrôler les bruits environnants pour explorer la grâce et la beauté du silence. Plongez dans un univers paisible pour entendre votre voix intérieure, celle qui vous prodigue les conseils et les enseignements que déjà vous possédez. Voilà un outil essentiel pour toute personne désireuse d'atteindre un certain équilibre et de dire oui au changement. *Page 265.*

23. Ne prenez (presque) rien au sérieux. La complexité engendre la complexité. Nous avons l'habitude de nous croire importants parce que nous avons une vie complexe mais, tout compte fait, nous n'en sommes pas plus heureux ni plus satisfaits. Cette stratégie vous rappelle que, en prenant les choses trop au sérieux, vous faites obstacle à votre liberté, à votre joie et à votre réussite. Une main ouverte est beaucoup plus réceptive et puissante qu'une main fermée ; un sourire est plus accueillant qu'un regard sévère. Et que dire du rire ! Le rire des dieux nous en dit long sur le sujet. Ne prenez (presque) rien au sérieux et vous baignerez dans la joie. *Page 275.*

24. Soyez le véhicule de la grâce. Chaque mot, chaque pensée, chaque action est l'occasion d'apporter un peu plus de grâce et de beauté à votre vie. Profitez pleinement de chaque moment. Faites de votre vie une « action de grâce ». Célébrez le merveilleux, saluez la beauté même lorsqu'elle se présente sous quelque déguisement. Cherchez, écoutez et expérimentez la grâce de la vie. Cette précieuse stratégie vous permet de traverser avec succès les périodes de transition. *Page 283.*

25. Honorez le divin. Si, faute de temps, vous ne pouvez choisir qu'une seule stratégie gagnante, optez pour celle-ci. Elle vous rappelle que personne n'a besoin d'accomplir une action spéciale, digne ou remarquable pour honorer le divin. Nul besoin de sacrifice, de souffrance ou de flagellation. Il vous suffit de respirer et de vous souvenir que tout ce qui existe est Dieu ; il vous suffit de voir le divin en chaque personne et de laisser Dieu s'occuper du reste. Lorsque tout ce que vous faites est une expression authentique du divin — chaque instant, chaque geste, chaque parole, chaque pensée —, la joie, le merveilleux, la grâce, la divinité et les bénédictions accompagnent toutes vos actions et toutes les personnes que vous côtoyez. *Page 289.*

La sécurité est avant tout affaire de superstition.
Elle n'existe pas dans la nature, et les enfants des hommes,
dans l'ensemble, n'en font jamais l'expérience.
Au bout du compte, celui qui évite le danger n'est pas
plus en sécurité que celui qui s'y expose. La vie
est une aventure audacieuse ou elle n'est pas.

HELEN KELLER

Introduction

Dites oui au changement a été écrit pour ceux et celles qui traversent parfois des périodes difficiles et qui, par conséquent, vivent des moments de résistances et de turbulences, à l'instar de tous les humains évoluant sur cette terre. Nous avons écrit cet ouvrage pour toute personne désireuse de vivre dans l'authenticité et de comprendre sa raison d'être, mais qui n'est pas encore parvenue à réaliser ce double objectif. Il concerne les gens qui ont perdu leurs rêves, chemin faisant, et qui sont désillusionnés face au monde dans lequel nous vivons, mais également ceux qui ont enfin réalisé leurs rêves et qui désirent relever de nouveaux défis.

Le changement est inévitable et, à l'école de la vie, nous vivons sans relâche mille et un nouveaux apprentissages. *Dites oui au changement* s'adresse à tous ceux et celles qui, appelés à relever des défis, n'en continuent pas moins d'entendre cette petite voix intérieure — si ténue soit-elle —, cette voix qui nous répète sans cesse que la vie est riche, qu'elle regorge de belles occasions de grandir et que, en ouvrant nos esprits et nos cœurs, nous pourrons expérimenter la magie et jouir des merveilles que recèle notre propre vie.

En zone de turbulences

Si vous traversez une période de turbulences, alors vous savez pertinemment que nous vivons dans une époque extraordinaire et confondante tout à la fois. À l'échelle individuelle, mais aussi nationale et mondiale, nous devons tous relever des défis importants, courir des risques sans précédent et saisir les occasions favorables. Ce « nous » englobe notre famille, nos amis, nos collègues de travail, les citoyens de notre quartier et les membres de notre communauté spirituelle, de nos divers groupes d'appartenance. Ce « nous » inclut aussi toutes les personnes qui, avant même les événements tragiques du 11 septembre 2001, nous ont propulsés vers demain, parce qu'elles étaient conscientes de la rapide transformation du monde. Ces personnes avaient déjà compris que les découvertes scientifiques, les nouvelles technologies de l'information, le numérique et Internet étaient en train de modifier nos vies en profondeur et sur tous les plans.

Par conséquent, plusieurs parmi nous traversent des périodes de transition où s'observe une refonte des rôles — nous repensons notre carrière, notre lieu de résidence, notre stabilité financière, notre mode de vie, mais surtout nos choix professionnels et nos relations interpersonnelles. De fait, les statistiques révèlent que bon nombre de personnes changeront de carrière, de lieu de résidence et même de conjoint à maintes reprises au cours de leur vie.

Outre ces défis importants, chacun devra faire face à d'autres changements individuels tout aussi exigeants : l'adaptation à une multitude de rôles, de règlements et de dynamiques ; des accidents et des ennuis de santé ; la perte d'êtres chers et des parents vieillissants ; les ravages causés par nos mauvaises habitudes et nos dépendances ; le stress engendré par d'importants revers financiers. Mais nous vivrons aussi des événements heureux : des naissances, de nouvelles relations amoureuses, un plus grand confort matériel, une nouvelle carrière. À l'évidence, le changement — tout comme la mort et l'impôt — est incontournable : il est et restera notre fidèle compagnon tout au long de notre vie. Or, le changement va de pair avec le risque, toujours présent : celui de perdre l'équilibre.

Sur la corde raide

Oui, nous risquons de perdre l'équilibre lorsque nous traversons des zones de turbulences. Au travail, à la maison ou dans le monde en général, il faut de l'habileté : d'une main, nous jonglons avec les exigences du monde extérieur et, de l'autre, nous tentons de répondre aux désirs et aux aspirations jaillissant du plus profond de notre être. En fait, nous avons souvent l'impression de chercher à garder l'équilibre, tel un funambule sur sa corde raide — haut, très haut dans le ciel —, sans filet tendu au-dessous de nous.

Dans la tourmente de ces changements sociaux, économiques, politiques et personnels, nous risquons de perdre pied. Mais nous risquons aussi de perdre ceux que nous chérissons, notre santé physique et émotionnelle, notre enthousiasme et notre vitalité, la passion qui nous pousse à réaliser notre mission sur terre. En réalité, nous devons faire face à un seul grand défi : accueillir le changement, grandir à travers lui et, chemin faisant, savoir garder l'équilibre et trouver un sens à notre vie.

Pour compliquer un peu les choses, le monde rapetisse et nous devenons tous interdépendants. Nous savons pertinemment que l'enjeu dépasse notre seul bien-être personnel. Nous devons nous adapter au changement et trouver notre équilibre, sans quoi nous ne saurons pas répondre adéquatement aux grands défis écologiques, géopolitiques, religieux ou spirituels qui nous guettent. Nous ne parviendrons pas à créer des systèmes sociaux et des politiques économiques valables, nous serons incapables de nous donner un mode de vie sain et harmonieux qui nous permette de profiter pleinement de toutes les chances qui nous sont offertes sur cette magnifique planète.

Dans cet ouvrage, nous vous présentons de nouvelles approches pour faire face aux changements et aux difficultés de la vie. Nous vous offrons des outils pratiques qui vous aideront à mieux accepter ce passage obligé qu'est le changement, à faire des choix judicieux et gagnants, à trouver plus facilement et plus efficacement votre équilibre. Évidemment, nous ne saurions examiner tous les aspects d'un si vaste sujet en quelques centaines de pages ni trouver une solution à tous vos problèmes, mais nous vous suggérons des avenues dignes d'intérêt et des techniques que vous pourrez appliquer tout au long de votre quête d'une vie plus saine et plus significative.

Des outils qui ont fait leurs preuves

L'information diffusée dans cet ouvrage est le fruit de vingt-cinq années d'expérience pratique. Au fil des ans, nous avons eu le privilège d'accompagner plus de cent mille hommes et femmes, de travailler au sein de cinq cents entreprises et de soutenir des services gouvernementaux importants et des organismes religieux, politiques, éducatifs ou sans but lucratif. Nous avons beaucoup appris auprès de ces individus et de ces groupes. Nous avons approfondi certains sujets comme la déception, la confusion face à la vie, la passion, le courage, l'espoir, la joie et l'endurance, et nous connaissons bien les phénomènes qui nous caractérisent tout au long de notre séjour sur cette terre en perpétuelle mutation.

Un séminaire virtuel

Par conséquent, nous sommes persuadés que cet ouvrage d'un emploi facile saura vous stimuler et vous élever. En outre, les exercices qui vous sont proposés ont été mis à l'épreuve dans le feu de l'action de nos séminaires. Nous savons qu'ils vous inspireront et qu'ils vous aideront à développer un dialogue intérieur plus intime et plus significatif. Après tout, c'est en vous que réside l'unique et véritable source de sagesse. Nous avons rédigé cet ouvrage de manière à en faire un séminaire virtuel personnalisé qui vous offre tous les avantages d'un enseignement individuel, et ce, tout en vous permettant de progresser à votre rythme, dans l'intimité de votre foyer.

N'hésitez pas à parcourir au hasard les différentes sections pour adopter les suggestions qui vous conviennent au moment propice : nous avons conçu ce livre dans cet esprit, car nous savons que la chronologie des changements et des défis de la vie n'est pas invariable. Que nous soyons prêts ou non à les recevoir, les changements adviennent sans crier gare.

Quelques mots d'encouragement

Nous avons découvert que cette recherche vers une vie plus équilibrée et menée de façon plus consciente peut parfois ressembler à un jeu, celui de la chaise musicale. Cette quête est à la fois excitante, énergisante, joyeuse, éducative et satisfaisante, mais elle peut parfois comporter des risques, notamment lorsque nous devons quitter notre chaise pour une autre : nous devons avoir les jambes bien solides pour rester debout tout au long de notre démarche. Cela fait partie du jeu.

Mais qui s'en plaindra ? Songez à toutes les choses merveilleuses, énergisantes, intéressantes, aventureuses et puissantes que vous pouvez entreprendre quand vous êtes solidement plantés sur vos deux jambes. Gardez tout de même en mémoire que, au milieu de cette aventure faite de découvertes et de nouvelles expériences, vous traverserez sans doute des moments moins palpitants et vous connaîtrez des hauts et des bas.

Par conséquent, suivez nos recommandations et nos suggestions avec enthousiasme, mais aussi avec prudence, seulement si vous désirez découvrir qui vous êtes et si vous voulez le manifester avec puissance et beauté. Utilisé à bon escient, cet ouvrage pourrait vous permettre de mener une vie plus satisfaisante, d'améliorer votre santé et d'éveiller votre conscience. Si cette quête est plus importante à vos yeux que votre confort et vos vieilles habitudes, ce livre est pour vous. Mais rappelez-vous que le changement est toujours imprévisible et qu'il nous oblige parfois à vivre dans un monde un peu désordonné, pendant un certain temps.

Un impact certain
sur vos relations interpersonnelles

Si vous décidez de mettre en œuvre certaines recommandations, nous vous suggérons d'avertir d'abord vos proches (parents, amis et collègues de travail) que votre comportement risque de changer. En fait, vos proches concluront sans doute qu'ils ont tout intérêt à suivre votre exemple, et ils pourraient favoriser des moments d'introspection pour modifier leur vie à leur tour.

Ainsi, si vos proches et vous décidez de mettre en pratique nos conseils, soyez parés à toute éventualité ! Vous risquez de développer un plus grand sens de l'humour, plus de patience et une plus grande facilité à vous abandonner et à accueillir l'imprévu. Sans rien dire de la souplesse, de la tolérance, de la vulnérabilité, de la sensibilité, du désir de servir, de la confiance accrue en votre intuition et, surtout, en Dieu.

Mais attention ! nous vous recommandons de ne pas chercher à tout expliquer, de ne pas brûler les étapes et, surtout, de ne pas tout laisser tomber en cours de route. Il serait illusoire de croire que vous contrôlez la situation, que vous êtes aux commandes. Si c'est le cas, aussi bien tout abandonner dès maintenant.

En bref, vous vivrez un peu dans l'inconfort au cours de cette quête d'un monde nouveau, mais sachez que vous y gagnerez largement au bout du compte. Et s'il vous arrive, en quelque jour sombre, de vous remémorer avec nostalgie le bon vieux temps, rappelez-vous que ces moments n'ont jamais existé ou, du moins, pas tels que vous les imaginez ! Par contre, des instants merveilleux vous attendent ici et maintenant.

Courage. Et gardez à l'esprit cette citation de William James : « Vous désirez changer votre vie ? Commencez sur-le-champ, faites-le avec panache, sans jamais vous en excuser. »

Si vous n'envisagez que le meilleur,
vous risquez fort de l'obtenir!
WILLIAM SOMERSET MAUGHAM

1

Commencez par le commencement

Quoi de plus évident et de plus naturel que de commencer par le commencement! Pourtant, nous le faisons rarement. Dès que nous en avons l'occasion, nous sautons à pieds joints dans la mêlée, ou bien nous fuyons une situation difficile. Avides d'action au point de développer certaines compulsions, nous agissons sans attendre. Nous avons enfin le sentiment d'être dans le feu de l'action. Et tant pis si on ne prend pas le temps de se doter d'une vision de l'avenir, de buts précis, d'un plan pour identifier les défis à relever et les occasions favorables qui ne manqueront pas de se présenter. Évidemment, nous n'avons pas le temps d'élaborer une stratégie, de nous doter d'un groupe de soutien, de trouver un mentor ou de faire l'inventaire des ressources qui pourraient nous être utiles. Pas le temps d'établir des contacts solides, de demander l'avis ou l'assentiment de nos proches quant à nos objectifs. Nous avons le sentiment que le temps file à vive allure et que nous devons à tout prix « faire bouger les choses », pour qu'enfin ces « choses » soient faites !

Pis encore, nous voulons souvent faire les choses sans prendre le temps de définir clairement ce qu'elles sont et vers quoi elles nous mèneront. Nous levons les voiles avant même d'avoir décidé de notre destination, sans avoir tracé notre itinéraire et parfois même sans savoir pourquoi nous partons. « Si vous partez sans connaître votre destination, disait Sénèque, nul vent ne saura vous mener à bon port. »

Sénèque disait vrai. Nous le savons grâce à notre expérience et à notre travail auprès de centaines d'organismes, de milliers d'entreprises et de plus de cent mille personnes.

Si vous êtes de ceux qui se précipitent dans l'arène sans prendre le temps de suivre, en tout ou en partie, les étapes préliminaires de la planification, alors il est grand temps de modifier vos habitudes. Vous voulez réussir ? Vous voulez apprendre à naviguer dans les eaux troubles du changement tout en préservant votre joie, votre équilibre et votre efficacité ? Alors, le moment est venu d'envisager la tâche à accomplir (ce que vous devez « faire »), mais aussi le processus (le « comment »). De plus, vous devez vous poser cette question : « Qui est cette personne qui entreprend cette tâche ? » En d'autres termes, vous devez examiner vos relations aux autres mais, surtout, votre relation à vous-même.

Investir à court terme pour récolter à long terme

Voilà ce que nous vous suggérons pour commencer. Vous aurez sans doute le sentiment que la tâche est fastidieuse, qu'elle vous ralentit ou que tout vous semble plus difficile, plus long et plus compliqué, mais c'est tout le contraire. Prenez le temps de « commencer par le commencement » et de faire ce premier exercice. Vous progresserez ensuite à une vitesse étonnante, nous vous le promettons. Vous mettrez à contribution vos talents et vos ressources. Vous aurez les idées claires, vous y gagnerez en énergie, en confiance, en estime de soi et en satisfaction, et puis vous aurez le sentiment d'être utile. Mais vous aurez surtout multiplié vos chances de succès. En fait, lorsque vous prenez le temps de définir votre vision et votre trajectoire, vous vous outillez pour affronter les aléas des périodes de transition, et plus tard vous récolterez en abondance les fruits de votre investissement.

Alors, commencez par le commencement. Suivez le conseil de Stephen Convey, énoncé dans son programme en douze étapes, et de tant d'autres guides qui nous invitent à « procéder méthodiquement, de A à Z ». Commencez d'abord par réfléchir sérieusement à votre objectif principal et aux valeurs essentielles que vous désirez mettre de l'avant au cours de votre vie. Ensuite, explorez et examinez les moyens qui vous permettront d'atteindre un meilleur équilibre et de réaliser vos rêves les plus chers.

Quelques règles de base en période de changement

Avant de commencer, nous aimerions vous rappeler quelques règles fondamentales. Si vous voulez apprendre à dire oui au changement, nous vous suggérons de mettre ces règles par écrit et de les afficher dans un endroit bien en vue. Ces règles ont fait leurs preuves au cours de notre pratique professionnelle.

• Le changement est excitant, remarquable et inévitable.
• Le changement est parfois synonyme de désordre.
• Le changement exige temps, patience, engagement et un brin de courage.
• Le changement s'accompagne parfois d'un léger inconfort (habituellement de courte durée).
• Le changement exige constance, planification, confiance, sens de l'humour et investissement de temps et d'énergie.

- Le changement mène plus sûrement au succès si vous prêtez attention à tous vos besoins — physiques, mentaux, émotionnels et spirituels.
- Le changement est le meilleur divertissement qui soit; si vous lui dites oui, vous en sortirez plus riche, beaucoup plus riche !

Les valeurs sont importantes

Avant de vous proposer des exercices visant à formuler ou à peaufiner votre vision personnelle, nous désirons vous entretenir de l'importance de vos valeurs. Pourquoi aborder ce sujet ? Parce que les valeurs tiennent une place de choix dans toute vie bien vécue.

Notre vie repose essentiellement sur nos valeurs. Nous vivons par elles et pour elles. Ce sont nos croyances, les qualités et les caractéristiques que nous admirons par-dessus tout. Lorsque nous les mettons en pratique et que nous y restons fidèles, nous menons une vie riche, authentique et satisfaisante.

Nous avons découvert au fil des années que les valeurs essentielles ne sont pas nécessairement nombreuses, qu'elles peuvent se ramener à quatre ou cinq qualités importantes : l'honnêteté, l'intégrité, la compassion, l'amour et le courage. Toute personne qui adopte et qui met en pratique ces cinq qualités — sans obsession ni désir de perfection, mais avec patience et fidélité — peut changer une pierre en lingot d'or. D'autres valeurs sont tout aussi précieuses, comme la confiance, la gentillesse, l'honneur, la sensibilité, la joie, la conscience, la tendresse, l'entraide, l'attention à l'autre, l'humilité et l'émerveillement.

Vous avez tout compris. Vos valeurs sont le carburant de votre vie, elles vous permettent de vous dépasser, de franchir les étapes vers le sommet. Elles sont les phares qui vous guident sur le chemin qui mène de la noirceur à la lumière, de l'égoïsme à l'altruisme.

Elles sont vos compagnes de voyage, l'héritage moral que vous léguez à la jeune génération.

Par conséquent, prenez le temps de réfléchir et, au besoin, de raffiner vos valeurs avant de formuler et de peaufiner votre projet de vie. Posez-vous les questions suivantes. Quelles sont les qualités essentielles qui vous définissent lorsque vous êtes au mieux de votre forme ? Désirez-vous maintenir ces valeurs pour en faire les guides de votre vie ? Souvenez-vous-en : nul ne cherche la perfection. Nous vous proposons ces exercices dans le seul but de vous aider à définir un processus ou un itinéraire, puis à repérer les outils qui vous seront utiles pour atteindre votre objectif.

 Exercices

Nous vous suggérons toujours des exercices en fin de chapitre. Nous menons tous une vie mouvementée et nous savons combien votre temps est précieux, pourtant nous vous encourageons fortement à faire ces exercices. Nous avons travaillé auprès de milliers d'hommes et de femmes au cours des vingt dernières années et, croyez-en notre expérience, les preuves sont indéniables : si vous prenez le temps de faire ces exercices plutôt que de simplement les lire, vous approfondirez votre expérience. C'est l'occasion de vérifier la pertinence des stratégies et des perspectives proposées et de les intégrer dans votre vie d'une manière toute personnelle.

Pour profiter pleinement de cette démarche, conservez les résultats de vos exercices et consultez-les à l'occasion pour mesurer l'étendue de vos progrès et de vos accomplissements. Donc, première suggestion : procurez-vous un journal de bord.

1. Prenez un engagement personnel. Nul besoin de rédiger un long texte dans un langage recherché. Écrivez simplement que vous vous engagez à faire cette démarche dans le but d'apprendre à dire oui au changement. Ce contrat avec vous-même sera votre outil de base, votre port d'attache ; vous y reviendrez sans cesse afin de vous recentrer et de réitérer votre engagement tout au long de ce processus. Libre à vous de lui donner la forme désirée. À titre indicatif, ce contrat peut ressembler au texte suivant :

Je m'engage à faire de mon mieux pour examiner, identifier et, si possible, modifier les croyances et les comportements qui m'ont empêché d'accueillir les changements au cours de ma vie et, par conséquent, de faire les choix appropriés pour mener la vie dont je rêvais.

Je m'engage à me respecter et à honorer cette démarche en lui consacrant le temps et l'énergie nécessaires. Je m'engage aussi à ne pas l'abandonner avant d'avoir atteint une force intérieure et un équilibre satisfaisants — ou avant d'avoir atteint l'objectif stipulé dans ce contrat.

Une fois votre contrat terminé, datez-le, signez-le et affichez-le quelque part. Ainsi, vous aurez constamment sous les yeux un rappel de votre engagement personnel.

2. Votre deuxième exercice consiste à profiter pleinement d'un de vos plus grands talents. Il sera un compagnon de route, un complice tout au long de votre transformation en cette personne qui dit oui au changement et qui sait traverser les périodes de transition dans la joie, la lucidité et l'équilibre. Ici, nous voulons parler de « visualisation », ou d'« imagerie mentale ». Certains parlent de « rêve éveillé », de « fantaisie mentale » ou d'« imaginaire ». Vous connaissez déjà cet outil, car vous l'utilisez tous les jours. Pour y avoir accès, il vous suffit de vous détendre, de fermer les yeux et d'imaginer les images souhaitées sur l'écran de votre esprit.

Nous vous invitons à créer mentalement la séquence d'un film (ou d'un diaporama) tourné selon le scénario « idéal » de votre vie rêvée. À l'aide d'une suite d'images, de sons et d'émotions, imaginez cette vie idéale. N'oubliez pas que tout se déroule au présent dans ce film : votre vie idéale a lieu ici et maintenant. Cet exercice est plus facile à réaliser qu'il n'y paraît, surtout si vous le faites dans la détente et le plaisir.

Voici une série de questions qui vous aideront à vous situer dans l'existence :

- Dans votre vie idéale, où habitez-vous ?
- À quoi ressemble votre environnement ?

- Avec qui partagez-vous votre vie ?
- Quelles sont vos activités de tous les jours (carrière, passe-temps, etc.) ?
- Quel genre de personnes vous entoure (amis, associés, etc.) ?
- Quel rôle jouez-vous au sein de votre communauté ?
- Quels sont vos loisirs et vos moments de détente ?
- Quel est votre état de santé physique, mentale, émotionnelle et spirituelle ?
- Dans quelle mesure votre vie est-elle remplie de joie et d'amour ?

Allez-y, créez cette séquence filmée qui vous représente tel que vous seriez dans votre vie idéale. Laissez libre cours à votre imagination et à votre esprit d'aventure. Vous êtes le scénariste, mettez-y tout ce que vous désirez : l'abondance, le merveilleux, la santé, l'amour, la joie, la grâce, la beauté et le succès sans aucune restriction. Et souvenez-vous de prendre plaisir à construire ce film. Après tout, vous en êtes la vedette.

3. Lorsque votre film est au point, augmentez le volume et goûtez au plaisir de vivre à fond ces émotions, de voir clairement les couleurs et d'entendre les sons avec précision. Goûtez au plaisir de vous sentir plus vivant que jamais, plus éveillé, plus satisfait et plus puissant. Quel bonheur de « savoir vers quel port diriger votre navire »

et de pouvoir affirmer que « tous les vents vous poussent dans la bonne direction » !

Si vous avez du mal à imaginer les détails de votre film, retournez aux questions de base : Où suis-je ? Qui suis-je ? Que fais-je ? Quels sont mes sentiments ?

Vous pouvez utiliser votre respiration pour vous clarifier l'esprit et détendre votre corps. Installez-vous confortablement dans un fauteuil, dans un lieu où on ne risque pas de vous déranger. Fermez les yeux. Appuyez votre tête contre le dossier et inspirez profondément, puis expirez lentement, sentez votre souffle qui entre et qui sort. Inspirez par le nez et expirez par la bouche. Refaites-le quatre ou cinq fois. Laissez votre corps épouser lourdement votre fauteuil, laissez toute tension s'échapper par les jambes et les pieds.

4. Pour que ce film de votre vie idéale ait un effet marquant, vous devez faire encore un geste. Prenez un moment pour éprouver de la gratitude envers tout ce que la vie vous offre déjà. Songez aux personnes qui vous entourent, aux talents que vous possédez, aux biens matériels qui vous prodiguent le confort, à la chance qui vous permet d'améliorer et d'enrichir votre vie. Soyez reconnaissant pour ce corps qui vous soutient, pour ceux qui vous ont donné la vie. Remerciez vos amis, vos enseignants et même les personnes

qui vous ont fait obstacle — ce furent peut-être vos meilleurs professeurs. Soyez reconnaissant envers la Terre — l'eau, l'air et le vent — et tous les éléments qui rendent la vie possible sur notre planète. Remerciez les gens qui vous guident et vous protègent, ainsi que tous ces inconnus avec qui vous partagez le monde, au sein de la communauté humaine. Et surtout, soyez rempli de gratitude pour tout ce qui vous attend — les aventures, les défis à relever, les espoirs à suivre, les rêves à réaliser, les leçons à apprendre.

5. Lorsque vous aurez pris la mesure de cette gratitude, ouvrez votre journal et dressez la liste de tous les éléments de votre vie idéale, puis précisez les détails de cette future scène filmée. Prenez tout le temps nécessaire pour bien faire cet exercice et montrez-vous généreux à votre égard. N'oubliez pas que vous construisez la fondation sur laquelle reposera sans doute votre avenir. Rappelez-vous que l'intégration de vos valeurs fondamentales fait partie de l'exercice.

6. Lorsque vous aurez terminé la liste de tous les éléments du film, décrivez vos sentiments face à cette vie idéale. Comment influence-t-elle la vie de vos proches ? Vos valeurs personnelles vous sont-elles utiles dans la réalisation de votre vie idéale ?

N'oubliez pas qu'il s'agit de votre vie, ce cadeau unique et précieux. Faites ces exercices en y mettant le meilleur de vous-même, engagez-vous pleinement dans ce processus. Nul besoin d'être trop sérieux ou de vivre des choses difficiles. Certains font ces exercices avec grand plaisir. Vous éprouverez une vive satisfaction en franchissant certaines étapes — par exemple en vous dotant d'une nouvelle vision, en précisant vos valeurs personnelles, en traçant l'itinéraire qui vous mènera à la prochaine étape de votre vie.

*On entreprend le véritable voyage de la découverte
non pas en admirant de nouveaux paysages,
mais en jetant un regard neuf sur les choses.*
ANONYME

2

Dites oui !

Dans notre monde, un tout petit mot nous casse constamment les oreilles : « Non. » On l'emploie souvent pour imposer une limite, pour nier, empêcher ou éviter une situation. Dans ce contexte, le mot « oui » acquiert une valeur inestimable ; il devient extraordinaire, puissant et rare à nos yeux. « Oui » est synonyme de liberté, d'énergie, d'émerveillement. Il incite à lâcher prise. Dire oui, c'est vaincre nos résistances, nos tensions, notre déni — tous ces dérivés du non. Dire oui, c'est s'ouvrir à une vie plus satisfaisante, riche et aventureuse.

S'il en est ainsi, comment expliquer que le non puisse occuper une si grande place dans notre vocabulaire contemporain ? Souvenez-vous. Dès notre naissance, nos parents nous ont éduqués en utilisant constamment ce petit mot. « Non. » À leurs yeux, un enfant était tour à tour un mystère, un défi, une boule d'enthousiasme débridé qu'ils avaient le devoir de dompter, mais à d'autres moments, ils projetaient sur lui leurs espoirs, leurs déceptions et leurs rêves jamais réalisés. Nous avons été à la fois entrave et source de joie pour nos parents ; mais, avant tout, nous avons été pour eux une lourde responsabilité qu'ils ont dû assumer leur vie durant.

Nos parents ou nos tuteurs ont porté et portent encore le monde sur leurs épaules ; ils croulent sous le poids des tâches quotidiennes et des obligations qui leur incombent. Ils sont à la fois parents, grands-parents, professeurs, guides spirituels, frères et sœurs, employés de l'école et de la garderie. Enfants, notre bien-être et notre croissance dépendaient de ces braves gens qui, en principe, prenaient soin de nous. Ils ont fait de leur mieux pour faire de nous des êtres humains socialement intégrés et habités par un sentiment de sécurité. Pour y parvenir, ils nous ont enseigné ce qu'on leur avait appris — à savoir que les adultes doivent contrôler les enfants pour leur propre bien, conformément à différentes théories. Il faut bien l'admettre : ils aimaient exercer ce contrôle qui a fait de nous des copies conformes de nos éducateurs. Ce ne serait pas si mal si nos tuteurs avaient été de parfaits modèles pourvus d'une conscience élevée. Mais ce n'est pas le cas.

Nos parents, professeurs, guides spirituels, entraîneurs, amis et patrons sont tout à fait corrects, mais ils sont loin d'être parfaits. Ils nous guident tout en se débattant contre leurs propres limites. Par conséquent, ils nous imposent des lois, des règlements et des procédures, des normes, des conditions, des limites et une multitude de restrictions qui leur appartiennent. Ils nous apprennent les croyances et les comportements qu'on leur a transmis et qui sont, à leurs yeux, la « vérité ». Ils nous transmettent en héritage ces « vérités » en utilisant les mêmes méthodes, de génération en génération. Et, bien entendu, leur outil de prédilection est sans contredit ce fameux « non ».

Quand le non résonne

Enfants, nous avons tous appris, par nos essais et nos erreurs, à différencier l'acceptable de l'inacceptable. Nous avons accumulé une foule d'expériences qui se sont soldées par un non retentissant qui marque à jamais certains moments de notre vie, certains lieux de notre enfance. Cent fois par jour — surtout pendant nos premières années —, nous avons entendu des phrases comme « Non, ne touche pas à ça », « Non, ne fais pas ça », ou « Non, tu n'as pas le droit d'aller de ce côté ». Ces mots ont modelé notre comportement.

C'est un fait : la majorité des gens entendront le mot « non » plus souvent que tout autre. « Non, pas ceci. » « Non, pas cela. » Non, non, non ! Au début des années 1980, des éducateurs ont mené une étude qui a montré que la majorité des enfants entendent des centaines de non pour un seul oui. Vous en doutez ? Vous aimeriez mettre à jour ces données ? Il vous suffit de vous observer (ou d'observer les parents de votre entourage) lorsque vous intervenez auprès des enfants.

Rares sont les personnes qui n'ont pas subi ce modèle éducatif. Nous apprenons à mener notre vie à coups de restrictions, de renforcements négatifs. Nous apprenons que tous ces élans, cette saine curiosité qui nous incite à explorer, à toucher, à regarder et à comprendre le monde nous entraîne presque toujours au-delà des limites permises. On nous répète cette sempiternelle litanie : « Tu es trop petit pour faire ça ! » Mais à quel âge est-on assez « grand » ? Et dans quelle mesure sommes-nous modelés, limités, étriqués lorsque nous atteignons enfin cette fameuse « maturité » ?

Nous avons donc appris à vivre à partir de ce mot, « non ». Lorsque vient le temps de transmettre à notre tour nos vérités et nos valeurs à nos enfants, à nos collègues et même à nos animaux de compagnie, nous reprenons la même rengaine, et ce, malgré toute l'aversion qu'elle éveille en nous : nous disons non pour contrôler, protéger et restreindre l'autre. C'est efficace. C'est facile. Et ça fonctionne à merveille.

Mais quelle est l'utilité de tels propos face à des gens comme vous, décidés à vivre une vie équilibrée, satisfaisante, puissante et réussie ? Pourquoi aborder ce sujet au moment d'apprendre à dire oui au changement ? Aussi vrai que nous avons été contrôlés et qu'à notre tour nous contrôlons les autres en ayant recours au non, nous répétons intérieurement ce comportement face à nous-mêmes. En bref, si on vous a répété pendant des années que vous ne deviez pas faire ceci ou cela, cette même rengaine intérieure a cours lorsque vous réfléchissez avant d'agir. Vous utilisez le non pour vous protéger contre l'irruption de la nouveauté dans votre vie, contre les circonstances, les risques, les défis, les gens et les situations. Votre instinct vous pousse naturellement à franchir les frontières du connu pour avancer et pour explorer votre vie, mais comment réagissez-vous ? En vous servant intérieurement le même discours. « Non, tu ne peux faire cela. » « Non, tu ne devrais pas t'aventurer dans ces parages. »

Dans ce discours intérieur constant et, semble-t-il, inévitable, le non est votre réponse habituelle. « Non, ce n'est pour toi. » « Non, tu risques de te blesser. » « Non, tu vas le briser. » Ainsi, vous refusez toutes nouvelles expériences et prises de conscience. Au fil du temps, vous vous fermez et vous dites littéralement non à la vie.

Penchez-vous un moment sur ce petit mot. « Non » indique la limitation, la restriction. C'est une expression réductrice qui dresse des obstacles. « Non » cherche à contraindre, à interdire. Ce petit mot est étonnamment puissant. Et, avouons-le, dire non est aussi le comble du ridicule. Surtout aux yeux de gens comme vous, qui désirez vivre une vie faite de spontanéité, d'ouverture, de bonheur, de satisfaction et d'évolution.

Dire non aux autres ou à vous-même, c'est exprimer votre méfiance, déclarer votre manque de confiance en vos talents et en ces occasions que vous offre la vie. « Non » est un miroir déformant dans lequel vous percevez le monde, persuadé que cette image correspond à la réalité. Or, vous savez par expérience que toute forme de distorsion procure des sentiments et des sensations désagréables.

Mais, de grâce ! ne faites pas l'erreur de nous croire sur parole ! Faites vos propres expériences. Posez votre livre sur la table. Fermez les yeux et répétez à haute voix : non, non, non, non… Élevez graduellement la voix. Employez un ton ferme durant trente secondes, puis taisez-vous. Gardez les yeux fermés, restez calme et voyez ce que vous percevez intérieurement. Observez votre respiration. Votre souffle est-il profond ou léger ? Comment se porte votre estomac ? Comment vous sentez-vous ? Enthousiaste, excité, énervé ou contenu ? Avez-vous le sentiment d'être bien ancré, en contact avec votre force intérieure ?

Au cours de notre pratique, nous avons constaté que le non est une formule qui éveille souvent la contrainte et la restriction. Le souffle se fait court, l'estomac se contracte. La colère et la résistance s'installent. En fait, nous avons découvert que nous n'aimons pas le mot « non ». Mais alors pas du tout.

Quand le oui résonne

Refaites cet exercice, mais en utilisant le mot « oui ». Fermez les yeux et, pendant trente secondes, dites : oui, oui, oui… d'une voix forte, puis douce. Chantez-le. Soufflez-le doucement à l'oreille d'une personne imaginaire.

Comment ressentez-vous ce oui ? Au cours de notre pratique, nous avons découvert que le oui nous amène dans un univers très différent de celui du non — dans un monde fait d'ouverture et d'expansion. Non est synonyme de lourdeur, de dureté, d'étroitesse. Il incite à la contraction. En revanche, oui est rempli de légèreté, d'ouverture, de joie, d'énergie. Non entraîne la fermeture. Oui invite à l'épanchement.

Dire oui. Voilà votre défi. Mais il y a dans ce petit mot bien plus qu'un défi. Vous avez maintenant la chance d'échapper à l'enfermement du non pour devenir une personne accueillante qui dit oui à la vie. Vous avez l'occasion, jour après jour, d'affirmer haut et fort que vous croyez en vous et en tout ce que vous offre la vie. Voici votre chance de proclamer votre désir de vivre, votre volonté de participer pleinement à l'expansion de l'amour, et ce, sans aucune excuse, sans résistance et sans retenue.

Pendant cette phase exploratoire, souvenez-vous qu'il existe mille façons de dire oui à une foule de choses. Vous pouvez répondre oui à des questions, c'est vrai. Mais vous pouvez également dire oui à vos rêves, à vos désirs, à vos fantaisies. Dites oui à toutes ces occasions que la vie vous présente par l'intermédiaire de vos proches, de votre carrière et de vos amis. Dites oui au don de soi, à l'ouverture, au rire, à l'amour. Dites oui à l'inattendu, à l'inhabituel, à votre puissance et à votre splendeur.

Même si vos proches refusent les occasions qui se présentent, dites oui aux activités, aux invitations et aux expériences qui vous inciteront à découvrir et à offrir le meilleur de vous-même. Commencez dès maintenant à dire oui à la vie et à devenir qui vous êtes réellement, une personne unique et indéniablement authentique !

Vous vous demandez sans doute : « Dire oui à la vie, est-ce que cela signifie dire oui à tous et à tout ce qui se présente ? » Loin de là ! Avant de prendre une décision, vous devez faire appel à toutes ces qualités positives et ces frontières personnelles qui vous servent si bien, à savoir votre discernement, votre jugement, votre bien-être (le vôtre et celui des autres), votre sensibilité, votre conscience et votre sécurité personnelle. En revanche, vous devez accepter de courir des risques pour vous départir de toutes ces limitations et entraves qui vous ont été imposées et que vous avez intégrées, croyant qu'elles vous appartenaient. Vous devez accepter de commettre des erreurs en explorant de nouveaux comportements, de nouvelles croyances et activités. Par conséquent, faites d'abord ce vœu: «Que tout ce qui se produit dans ma vie me serve à me développer et à offrir le meilleur de moi-même.» Vous êtes maintenant prêt à dire oui au changement.

 Exercices

Ces quelques exercices vous aideront à dire oui à la vie.
Prenez votre journal de bord et suivez les étapes qui vous sont proposées.

1. Dans un premier temps, identifiez les cinq activités ou expériences auxquelles vous répondez habituellement par la négative. En disant non à ces situations, vous savez pertinemment que vous cherchez à vous protéger, à vous limiter ou à vous interdire des actions qui vous seraient bénéfiques, comme développer vos talents ou vous ouvrir à de nouveaux horizons.

2. Pour chacune de ces activités ou expériences, identifiez une peur, une inquiétude ou un malaise associé à cette pratique.

3. Dressez maintenant une liste de cinq activités ou expériences auxquelles vous pourriez vous adonner. Essayez de choisir des activités qui contrediront les comportements limitatifs apparus dans votre première liste.

4. Prenez quelques instants pour faire un exercice de visualisation (voir l'exercice n° 2, à la page 37). Imaginez que vous vous adonnez à l'une de ces cinq nouvelles activités. Pendant un moment, consacrez-vous-y entièrement, en toute sécurité et dans l'intimité de votre imaginaire. Notez les émotions et les sentiments que vous inspire la visualisation de chacune de ces activités.

5. Pendant quelques jours, appliquez-vous à dire oui à toutes les occasions positives et constructives qui se présenteront. Commencez par de petits détails. Des choses qui vous inspirent, qui vous encouragent et vous élèvent. Des choses qui vous donnent de la force et qui vous font du bien, qui procurent de la joie et de l'enthousiasme aux êtres qui vous sont chers. Il peut s'agir d'activités personnelles que vous vous refusiez par habitude, ou encore d'activités sociales qui changeront votre quotidien ou celui de votre entourage. Devenez cette personne qui dit oui au changement et à la vie.

Il nous faut grandir, il nous faut nous dépasser,
il nous faut abandonner le bon afin de choisir le meilleur.

SRI NISARGADATTA MAHARAJ

3

Donnez-vous des assises solides

Nous avons abordé différents sujets : commencer par le commencement ; se donner une direction claire ; avoir des valeurs solides et un excellent plan d'action. Voyons maintenant quels sont les autres éléments qui vous aideront à dire oui aux changements et aux bonnes occasions que la vie vous réserve. Prenons le temps d'identifier les préparatifs et les éléments nécessaires pour réussir ce parcours vers une vie plus équilibrée, harmonieuse et satisfaisante.

Sans doute avez-vous intégré certains de ces éléments à votre scénario de vie idéale — par exemple une vie spirituelle solide, un corps sain, un esprit clair, vigoureux et curieux, une bonne santé émotive et financière. C'est une chose d'identifier chacun de ces éléments, c'en est une autre de les intégrer à sa vie. Par conséquent, voyons comment créer et maintenir le bon fonctionnement de ces aspects essentiels. Ce faisant, vous vous donnerez des assises solides qui vous permettront de dire oui au changement et de vous y engager avec courage et enthousiasme.

D'abord, soyons honnêtes : rares sont les gens pourvus d'un corps de dieu ou de déesse, d'un esprit sans faille et d'une stabilité émotive inébranlable. Et combien de personnes ont une connaissance innée de leur divinité intérieure ? Combien de gens savent l'importance d'un équilibre financier pour mener à bien leur vie ? Bien peu, hélas ! Or, nous le savons : tous ces éléments sont des alliés incontournables pour toute personne désireuse d'apporter d'importants changements dans sa vie.

Par conséquent, une question s'impose : dans quelle mesure sommes-nous prêts à nous impliquer pour atteindre le meilleur de nous-mêmes et le sommet de la forme dans chacun de ces secteurs de notre vie ? Et surgit une seconde question, tout aussi importante : lorsque nous prenons cet engagement, comment parvenir à ces sommets ?

Atteindre un équilibre optimal

La réponse à cette question est simple, mais la tâche qu'elle suppose peut être phénoménale. C'est que, pour parvenir au sommet de votre forme physique, mentale, émotionnelle et spirituelle, vous devrez recourir aux bonnes vieilles méthodes d'antan. Vous ferez appel à certaines qualités comme la discipline, la conscience, la patience, l'honnêteté, la persévérance et le courage. Qui plus est, vous devrez renouer avec cette tâche oubliée : vous tourner vers l'essentiel.

Ce programme est simple à comprendre si vous l'associez à un plan d'action pour retrouver la forme physique. Nous savons que vous devrez mettre au point un programme d'activités physiques adapté à vos besoins, selon votre physique, votre âge et votre condition actuelle. Nous savons également qu'il sera essentiel de vous alimenter correctement pour bien soutenir votre corps et votre esprit. En fait, sans une saine alimentation, vous ne retrouverez jamais la santé, et ce, même si vous suivez le meilleur programme d'exercices qui soit.

Il est un peu plus difficile d'élaborer un programme visant à recouvrer la santé mentale, dont les signes sont un bien-être général, un esprit vif, des idées claires et du discernement. Nous savons que l'exercice et l'alimentation influencent la santé mentale. Plus loin, nous examinerons ce sujet à fond en identifiant certaines habitudes, croyances et pratiques qui nous furent léguées et qui sabotent systématiquement notre santé mentale, nos espoirs, nos rêves et nos plans de vie. Contentons-nous pour l'instant de dire que notre capacité à vivre les changements qui s'imposent dans notre vie est tributaire de notre niveau de conscience et de notre volonté de faire tomber des obstacles majeurs comme nos vieilles habitudes, nos croyances limitatives et nos états émotifs destructeurs. Nous devons apprendre à utiliser notre esprit et nos émotions de manière constructive afin de mieux vivre les changements qui ne manqueront pas de survenir dans nos vies — soit par choix, soit par chance. Il n'en tient qu'à nous de remplacer nos habitudes et nos pensées restrictives par d'autres, plus positives, qui sauront nous insuffler une bonne dose de courage et qui nous permettront d'exprimer pleinement notre amour, notre joie et nos talents.

Vous désirez une liste de suggestions et de stratégies à suivre pour atteindre le sommet dans chacun des aspects énoncés ci-dessus ? Pour cela, nous vous proposons des exercices à la fin de chaque chapitre. Libre à vous de vous documenter plus à fond sur le sujet. On peut trouver des milliers d'ouvrages, de programmes ou de séminaires, de cassettes audio et vidéo, toutes sortes d'outils créés par des personnes compétentes qui ont étudié et approfondi une série de disciplines pour atteindre la santé physique, mentale, émotionnelle, spirituelle et financière. Si ce défi vous tente, votre devoir consiste à prendre un engagement ferme : celui de vous créer un programme sur mesure qui vous aidera à asseoir votre vie sur des bases solides.

Ensuite, vous devrez rester vigilant pour détecter les signes qui se manifesteront. Ayez confiance en vous. Grâce à votre volonté et à votre ouverture d'esprit, vous saurez faire les bons choix. Optez pour des exercices physiques, une saine alimentation, une stabilité émotionnelle, une pratique spirituelle et une discipline financière qui vous aideront à mieux vivre les changements et les périodes de transition.

N'ayez crainte. Nous vous proposerons d'autres exercices tout au long de cet ouvrage. Ceux qui le désirent peuvent suivre un programme conçu par Sedena et intitulé *Portable Self-Enhancement Program* (veuillez consulter la liste des ouvrages de référence pour en savoir davantage). Ce programme d'exercices et de perfectionnement vise deux objectifs : l'autoguérison et la reconquête de son pouvoir personnel.

L'élément essentiel

Avant d'entreprendre les prochains exercices, nous attirons votre attention sur un élément essentiel : peu importe le nombre d'exercices que vous ferez pour améliorer votre état physique, mental, émotif, spirituel ou financier, peu importe l'énergie et la constance que vous y mettrez, vous n'arriverez à rien si vous n'apprenez pas à bien respirer. Le souffle est le carburant qui active le corps, l'esprit et les émotions. C'est votre respiration qui vous conduira vers une existence plus riche, plus satisfaisante et mieux équilibrée. Elle est la clé de tout, votre boussole, votre guide vers la santé, l'équilibre et la conscience émotionnelle. Un souffle court ou superficiel indique une tension, une résistance face au changement. Alors, respirez profondément tout en relâchant la région abdominale. Déployez la cage thoracique en inspirant, contractez-la en expirant. Il est essentiel d'apprendre à respirer correctement pour atteindre votre objectif : l'équilibre et la santé globale.

Lorsque vous aurez appris à bien respirer, toute votre énergie pourra enfin circuler librement pour nourrir vos cellules et vous mettre en contact avec vos émotions. Et vous vivrez davantage dans le moment présent. Or, c'est exactement ce que vous devez faire pour apprécier la vie et relever les défis qui la jalonnent. Votre pouvoir réside avant tout dans le moment présent, ne l'oubliez jamais. Toute tâche à accomplir ne peut se faire que dans le moment présent.

Toutefois, il n'est pas facile d'apprendre à bien respirer, car nous avons tous vécu des traumatismes physiques et émotifs qui ont entravé notre souffle vital. Mais tous les espoirs sont permis, car il existe une foule de techniques, traditionnelles ou expérimentales, pour nous réapprendre la respiration.

Ces méthodes sont souvent associées à des exercices physiques ou à d'anciennes pratiques spirituelles ou religieuses. Les plus connues sont le yoga, le taï chi et le chi gong. D'autres existent sous diverses formes, par exemple la danse, le *rebirth,* la respiration douce, le chant sacré, la méditation et l'aérobique.

Nous ne pouvons commenter toutes ces méthodes dans le présent ouvrage. Rappelez-vous simplement que vous devez prendre conscience de votre respiration afin de combattre le stress et les difficultés de la vie, surtout de nos jours, en ces temps de tourments et de défis. Vous devez constamment porter attention à votre souffle et vous rappeler de bien respirer. Il s'agit bien sûr d'un phénomène naturel — l'oxygène pénètre nos cellules même si nous n'en avons pas conscience —, mais qui peut être gêné par le stress et la tension.

La respiration consciente permet d'oxygéner le cerveau et les organes vitaux. Ainsi, nous revitalisons tout notre organisme à chaque inspiration. De plus, cela nous aide à intégrer nos émotions, à relâcher la tension et à éliminer les toxines. Le souffle a le pouvoir de guérir le corps et l'esprit, mais ce n'est pas tout ! La respiration consciente nous permet également de modifier notre état de conscience, d'avoir l'esprit plus éveillé et d'établir un lien direct avec le monde spirituel.

Exercices

Ces exercices vous permettront de bâtir une solide fondation sur tous les plans — physique, mental, émotif et spirituel. Si vous n'avez pas le temps de les faire maintenant, prenez l'engagement d'y revenir plus tard au cours de la journée, car chaque minute consacrée à ces exercices améliorera votre vie.

1. Vous savez maintenant que, pour atteindre vos objectifs, il est essentiel d'établir un certain équilibre entre le corps, l'esprit et les émotions. Prenez quelques instants pour évaluer votre niveau d'équilibre dans chaque domaine de votre vie. Accordez-vous une note entre 1 et 10 (1 pour médiocre ; 10 pour excellent) pour :
    - le corps ;
    - l'esprit ;
    - les émotions ;
    - la vie spirituelle ;
    - la santé financière.

Si vous obtenez un résultat élevé dans tous ces domaines, cela signifie que vous prenez toutes les mesures nécessaires pour maintenir un corps sain par une saine alimentation, des exercices physiques et un équilibre entre le repos et les activités; que vous restez fidèle à vos priorités en demeurant actif et engagé dans ce qui importe à vos yeux, tout en vous tenant éloigné de ce qui est inutile, stérile ou négatif; que vous apportez des changements positifs dans votre vie; que vous reconnaissez et honorez vos sentiments; que vous connaissez les secteurs de votre vie qui sont équilibrés ou déséquilibrés; que vous portez une attention particulière à ce que Daniel Goleman appelle l'«intelligence émotionnelle»; que vous maintenez une saine pratique spirituelle qui vous éveille à votre sagesse intérieure; et que vous élevez votre conscience pour maintenir l'équilibre financier qui vous permet de mener la vie de votre choix.

Si vous avez obtenu un résultat moyen dans un ou plusieurs des domaines de votre vie, vous devez passer à l'action. Fixez-vous des objectifs et dotez-vous d'un programme qui vous permettra d'explorer de nouvelles avenues, de nouvelles idées, de faire des expériences et de connaître le bien-être.

Avant d'agir, notez dans votre journal quelques idées sur les aspects de votre vie que vous devez améliorer. Concentrez-vous sur les choses urgentes et déterminez les actions à prendre.

2. Plus solides seront vos assises, plus vous gérerez bien les périodes de transition et plus votre vie spirituelle deviendra importante à vos yeux. Vous porterez une attention particulière aux élans et aux désirs qui jaillissent du fond de votre âme par l'intermédiaire de votre «voix intérieure».

    C'est par la réflexion, la méditation, la prière et le silence qu'on peut communiquer avec cette voix intérieure. Par conséquent, nous vous invitons à mesurer la valeur de votre vie spirituelle. Tout comme dans les autres domaines de votre vie, une note élevée signifie que vous prenez les mesures nécessaires pour développer votre spiritualité. Une note moyenne ou inférieure signifie que vous devez apporter certaines améliorations.

    Inscrivez dans votre journal ce que vous faites, ou ce que vous devriez faire pour entendre votre voix intérieure et pour maintenir une relation avec votre divinité — que vous l'appeliez Dieu, la Conscience, l'Un, l'Esprit, l'Être suprême. Comment vous y prenez-vous pour créer un lien solide et durable avec cette force universelle qui est à la fois le guide et le soutien de votre vie ?

3. Nous avons tous une façon personnelle d'entrer en contact avec notre sagesse intérieure. Toutefois, pour nous donner une base solide et pour apprendre à dire oui au changement, nous devons compter sur notre plus précieuse alliée : la respiration.

Nous le répétons, les techniques de respiration sont nombreuses. Expérimentez-les afin de découvrir celle qui vous convient le mieux. Mais le choix d'une technique est secondaire. Ce qui importe, c'est de vous rappeler que votre respiration est votre passeport pour la vie, la liberté et le bonheur.

Enfin, votre dernier devoir consiste à utiliser pleinement cette conscience, nouvellement acquise au cours de ce chapitre, et à porter toute votre attention sur les mesures à prendre dans les domaines les plus négligés de votre vie. Dans votre journal, dressez un plan d'action pour vous doter de cette base solide sur laquelle vous pourrez ensuite échafauder les changements nécessaires à votre vie.

Il est parfaitement inutile de vivre dans le passé ;
il n'y a pas trace d'avenir dans ce qui fut.

ANONYME

4

Oubliez le passé

Carlos Castaneda l'affirme, T. S. Eliot aussi. Des milliers de sages, hommes et femmes de toutes allégeances et cultures, n'ont cessé de le répéter à travers les siècles. Cet amalgame de souvenirs et d'information qui forme notre petite histoire personnelle — et que nous appelons notre passé — peut devenir un obstacle majeur à notre quête de joie et de liberté.

Bien évidemment, nous avons tous un attachement particulier pour notre histoire personnelle. Nous l'aimons et voulons la protéger. En fait, nous portons fièrement notre passé à bout de bras, comme un trophée, pour ses aspects positifs et pour d'autres, moins reluisants. Nous aimons célébrer notre passé, le critiquer, en souligner les insuffisances ou en exagérer certains traits. Quoi qu'il en soit, nous nous y accrochons fermement tout au long de notre vie avec la crainte qu'il ne disparaisse avec nous. Mais nous avons parfois vaguement conscience que notre histoire personnelle est comme une lourde valise qui nous suit jour après jour, d'une relation à l'autre. Nous croyons que notre passé définit notre identité actuelle mais, en réalité, nous soupçonnons qu'il définit seulement la personne que nous fûmes, et ce, de façon bien approximative. Par conséquent, notre petite histoire est une entrave, un boulet qui nous empêche de devenir la personne que nous voudrions être.

Souvent, notre histoire personnelle ressemble à un amas de sacs remplis de souvenirs et de reliques, de vieux débris et de vestiges. Nous les gardons en réserve, convaincus qu'ils nous seront utiles un jour. Dans la majorité des cas, ces réminiscences sont sans valeur puisqu'elles sont empreintes de distorsions, d'exagérations, de mensonges, et de tant d'autres choses inutiles. Nous traînons absurdement ces valises, affairés que nous sommes à les remplir et à les vider chaque fois que nous entreprenons une nouvelle relation, une nouvelle carrière, de nouvelles activités. Avec le temps, les distorsions et les exagérations prennent des proportions incroyables. C'est pourquoi nous devenons lourds et gauches dans nos actions et dans nos relations. Nous manquons de spontanéité, nous avons du mal à jeter un regard honnête et lucide sur nous-mêmes et sur notre vie. D'ailleurs, notre attachement et notre identification à ce passé lointain jettent de l'ombre sur le moment présent, ce qui nous empêche de profiter des joies et des découvertes que ce présent recèle.

Lorsque nous rencontrons une nouvelle personne, nous déballons nos reliques et nos vieux souvenirs en guise de présentation. Ainsi, nous mêlons nos souvenirs distordus et parfois mensongers à notre avenir encore vierge. Et, chaque fois que nous racontons notre histoire, les amis, les proches, les amants et les voisins hochent poliment la tête et prétendent s'y intéresser. Puis, ils nous racontent à leur tour leur histoire et nous hochons la tête, comme ils l'ont fait.

L'évitement mutuel

À quel jeu jouons-nous ? Au jeu où tous s'évitent mutuellement. La plupart d'entre nous sont parfaitement conscients de jouer ce jeu. Nous nous y prêtons sciemment et le jeu se poursuit, tout simplement. Comme c'est étrange ! Nous continuons cette charade tout en sachant que ce que nous racontons — j'ai fait ceci ou cela à tel moment de ma vie — est sans intérêt pour ceux qui nous écoutent. Qui s'intéresse à mon été passé dans le Maine, dans Charlevoix, à Malibu ou à Grosse-Île ? Ou à ma relation avec Pierre, Jean ou Jacques ?

Peu de gens s'intéressent à nos premiers émois sexuels, à l'amant ou à l'épouse qui vient de nous quitter — surtout lorsque c'est nous qui discourons sur le sujet. Habituellement, nous avons tendance à exagérer les faits, à les modifier ou à les taire. Nous racontons une version altérée et bien astiquée. Pour plus de concision et de politesse, nous filtrons d'abord les émotions et les peurs que nous avons éprouvées, les découvertes et les apprentissages souvent douloureux que nous avons retenus de ces expériences.

Dans ces conditions, il n'est pas étonnant que notre récit n'intéresse personne. Les gens ne sont pas insensibles, loin de là. Nous en avons tout simplement assez d'entendre nos vieilles rengaines et de trimballer partout nos valises. Nous savons que nos peurs et nos blessures du passé ont été ensevelies sous des tonnes de généralisations, de distorsions et de négations. Nous savons aussi que la plupart de nos histoires personnelles ne sont pas véridiques, et puis, même si elles l'étaient, elles taisent nos grandes peines, nos confusions, nos espoirs et nos rêves, nos aspirations profondes. Tous ces secrets, nous les cachons au fond de nous dans l'espoir que, un jour, une personne nous offrira la chance de nous ouvrir en toute sécurité.

Ainsi, notre passé n'est plus pertinent, comme les actualités d'hier qui ne sont plus d'aucune utilité aujourd'hui, sauf, bien sûr, si nous nous servons de ces informations pour analyser l'ensemble de la situation dans le but d'en saisir la portée et les leçons à en tirer. Dans ce cas, notre histoire personnelle devient un outil précieux qui nous permet de reconnaître nos erreurs, de réévaluer nos stratégies et de mieux miser sur les occasions favorables qui se présenteront.

En outre, notre histoire personnelle peut contenir des renseignements utiles qui nous aideront à modifier, au besoin, nos comportements, nos plans d'action, nos pensées, notre discours et nos habitudes qui nous ont desservis par le passé. Dans ce contexte, notre petite histoire devient une source de vie, d'énergie et d'apprentissage dans le cours de notre évolution. Sans quoi, elle n'est qu'un amas de vieux souvenirs calcifiés, pétrifiés et distordus qui n'ont rien à voir avec ce qui est, ici et maintenant. Comme le disait T. S. Eliot:

Ne me parlez pas de la sagesse de ces vieillards,
parlez-moi plutôt de leur folie,
de leur peur d'avoir peur et de leur frénésie,
de leur peur de la possession,
de leur peur d'appartenir à l'un,
aux autres ou à Dieu.

Voilà! Tout est dit, dans un seul poème! Tous ces boniments sur le passé — nous avons fait ceci, nous avons dit cela —, quelle perte de temps! Et ce temps est si précieux! Pourquoi le gaspiller ainsi et nous empêcher de vivre pleinement le présent et les expériences qu'il nous offre? Souvenez-vous que, pour apprécier le mystère et la beauté du changement, vous devez vivre dans le moment présent.

Untel vous a fait telle chose à tel moment ? Et alors, quelle importance, puisque dans le moment présent vous avez la chance d'ouvrir vos bras, vos yeux, votre esprit et votre cœur à une toute nouvelle flamme ! Jamais un seul moment du passé ne saurait être aussi précieux que le souffle qui entre en vous, en cet instant. Puis cet autre souffle ! Et celui-ci ! Rien n'est plus important que l'instant présent. Nous avons la chance, ici et maintenant, d'exprimer notre tendresse, d'évaluer la pertinence d'une croyance, de partager notre intimité, d'exécuter ou de modifier un plan d'action, d'analyser un point de vue, de saisir une vérité, de partager notre amour et d'exprimer notre reconnaissance.

Laisser le passé derrière soi

Ici et maintenant, déclarez officiellement que votre passé est, maintenant et à jamais, révolu et derrière vous. Donnez-lui à tout le moins congé pendant un certain temps. Agissez comme vous le feriez d'un ouvrage que vous venez de terminer : fermez le livre de votre passé. N'ayez crainte : si vous le désirez, vous aurez amplement le temps d'y revenir lorsque vous serez moins actif dans le monde, ou à certains moments de la journée. Vous pourrez ouvrir ce livre à nouveau, réfléchir et revoir les pages de votre passé, les moments tendres d'hier dans le calme du soir ou à la lueur du petit matin. Mais ne sacrifiez pas votre temps et votre énergie sur l'autel du passé, ils sont trop précieux. Ne cherchez pas à éviter le présent en plongeant dans l'hier. Concentrez-vous sur votre vie, ici et maintenant. Suivez le conseil de tous ces sages qui nous ont précédés : « Soyez ici, maintenant. Vivez dans le moment présent. »

C'est l'évidence même. Nos prédécesseurs n'étaient pas plus intelligents que nous ; ils n'ont fait que nous transmettre leurs leçons de vie. Ils ont ouvert les yeux et reconnu que seul le présent existait. Tout le reste n'est rien de plus qu'un immense jeu collectif intitulé : « Faisons semblant. » Or, la majorité des gens continuent à y croire. Ils jouent le jeu. Et la majorité l'emporte ! Plus les gens s'adonnent à ce jeu, plus nous sommes nombreux à devoir nous conformer aux règles et, par conséquent, à nous priver du droit fondamental de jouir pleinement de notre vie, de notre liberté et de notre quête personnelle.

Le pouvoir incommensurable du moment présent

Pour dépasser les limites, les préoccupations et les prétentions liées au passé, nous devons être présents à ce qui est ici, maintenant, dans notre vie. Ni plus ni moins. Lorsque nous sommes présents à ce qui est, la vie coule comme rivière et prend soin de nous. En prenant ce seul engagement — celui d'être entièrement présent à ce qui est —, nous éliminons toute forme de comparaison et d'attente contenue dans des phrases comme : « C'est ainsi que les choses se faisaient. » Ou : « C'est ainsi que ça devrait se passer. » Et nous n'avons plus à traîner avec nous ces vieilles valises remplies de souvenirs.

Les choses sont ce qu'elles sont, voilà tout. En demeurant bien ancrés dans le présent, nous pouvons agir sur toute situation qui s'offre à nous : choisir d'amplifier ou d'apaiser les choses, de les changer ou d'y participer pleinement, de les observer, de les simplifier ou de les laisser se déployer. Or, il n'y a que dans le moment présent que nous pouvons exercer ce choix. Seul l'instant présent est porteur de toutes les possibilités et de toutes les merveilles.

Donc, votre tâche consiste à demeurer dans l'instant présent, bien ancré, et votre vie en sera transformée. Cessez de perdre votre temps à ruminer ce qui fut ou ce qui pourrait être. Restez présent à ce qui est maintenant et laissez chaque instant vous mener vers l'instant qui suit. Vous serez si actif, comblé et vivant que vous n'aurez plus le temps de remâcher le passé. Et si quelque chose vous déplaît dans le moment présent, libre à vous de changer cette chose, de l'accepter ou de la laisser s'épanouir. Le présent est fait de mystère. De magie. De merveilles. Ici et maintenant ! Encore et toujours. Ici et maintenant !

Gardez en mémoire ces mots de Deepak Chopra : « Ce qui devrait nous effrayer, ce n'est pas l'inconnu (ou l'avenir), mais le connu (ou le passé). » En effet, c'est le connu qui nous tient en laisse, qui nous limite et qui déforme notre expérience du présent. Alors, dites oui au changement. Oubliez votre passé et allez de l'avant, plongez avec joie et enthousiasme dans l'instant présent.

 Exercices

Ces exercices vous aideront à vous départir du poids de votre passé.

1. Au cours des prochains jours, notez combien de fois vous et vos proches discutez du passé. Combien de temps — précieux — perdez-vous à parler de ce que vous avez fait à tel moment, avec telle personne ? Faites une évaluation comparative. Combien de temps consacrez-vous à ce qui se passe ou pourrait se passer dans votre vie, aujourd'hui ? Par exemple, combien de temps allouez-vous à découvrir, à explorer ou à accueillir le changement dans votre vie ? Quel apprentissage en faites-vous ? Tout au long de

cet exercice, notez dans votre journal vos observations, vos découvertes et vos émotions.

2. Au cours des deux prochaines semaines, accordez-
vous quelques heures durant une ou deux
matinées pour jeter dans un carton ou une vieille
malle les cartes, lettres, photos ou autres souvenirs
qui vous ramènent constamment vers le passé.
Rangez tout dans un placard. Vous y reviendrez
plus tard, mais, pour l'instant, faites table rase de
tous ces souvenirs qui encombrent votre demeure ;
faites de la place pour accueillir chaque instant
nouveau, ayez l'esprit ouvert, soyez prêt à découvrir et à laisser se déployer celui ou celle que vous
êtes — ici et maintenant !

3. Après avoir fait cet exercice, décrivez vos sentiments dans votre journal. Par exemple, vous pouvez vous sentir soulagé ou inquiet. Vous pouvez
éprouver de la tristesse, un sentiment de perte,
de joie ou de liberté. Quoi qu'il en soit, notez vos
émotions, puis laissez-les aller. Toutefois, si une
action s'impose — clarifier une situation ou mettre
fin à une relation —, faites ce qui doit être fait. Cela
vous mènera à l'étape suivante.

4. Dressez la liste de tous les événements que vous
avez l'habitude de relater en exagérant les faits,
en les déformant ou en mentant. En marge de
chaque événement, décrivez brièvement ce que
vous tentez de dire à votre sujet lorsque vous

racontez ces faits. Par exemple, vous avez peut-être l'habitude de parler d'une ancienne flamme, et, si vous aimez en parler, c'est parce que cette relation fait ressortir certaines de vos qualités importantes à vos yeux. Ou vous avez l'habitude de raconter un accomplissement personnel avec le sentiment que l'espoir et la fierté qui en découlent sont encore bien vivants en vous. Voilà, vous avez saisi le principe. Prenez le temps nécessaire pour dresser la liste des principaux événements que vous racontez sans vous lasser dès qu'on vous présente un inconnu. Ces histoires font partie intégrante de votre « répertoire de présentation ».

5. Dans votre journal, énumérez les choses que vous désirez à tout prix faire connaître à vos proches. Il peut s'agir de vos principales qualités, de vos besoins fondamentaux, des gens ou des situations qui vous passionnent, de ce qui vous allume aujourd'hui ! Ensuite, notez en quoi cette divulgation peut vous être favorable auprès d'autrui.

6. Plus tard, chaque fois que vous vous surprendrez à raconter l'une de ces histoires, vous vous demanderez : « Qu'est-ce que j'essaie de dire réellement à mon sujet ? » Puis, dites-le directement, sans détour. Établissez un lien entre cette qualité que vous désirez divulguer, les gens qui vous entourent et le moment présent.

*On ne peut transporter une lourde charge
dans un petit récipient tout comme on ne peut,
avec une courte ficelle, tirer l'eau
qui repose au fond d'un puits profond.*
PROVERBE CHINOIS

5

Célébrez l'excellence !

Regardons la vérité en face. Que de paresse lorsque vient l'heure de modifier nos vieilles habitudes ou nos pensées limitatives pour quitter les chemins battus ou le *statu quo* ! Pour tout dire, il y a déjà belle lurette que nous nous recroquevillons dès que nous sommes face à nos résistances et à nos limites. En ces jours lointains où notre mère nous langeait, nous nous étendions sur le dos — parfois à notre corps défendant. Mais, depuis ce jour, une partie de nous reste confortablement allongée dans l'attente que la vie s'active. Comme Godot dans la pièce de Samuel Beckett, nous attendons, immobiles, dans l'espoir que tous les événements qui nous invitent à nous transformer finiront par disparaître. Il suffit de n'y prêter aucune attention ou de les ignorer, croyons-nous. Ou, mieux encore, de faire preuve de patience : quelque chose se produira un jour, quelqu'un viendra agir à notre place, comme par magie.

C'est un fait, nous avons tendance à fuir les défis et les changements qui s'imposent lorsque vient le temps de quitter le nid douillet du connu pour l'inconnu, qui serait pourtant si favorable à notre évolution. Bien sûr, nous trimons dur pour gagner notre pain quotidien ou pour combler nos besoins les plus criants, par exemple la reconnaissance, l'attention ou le sentiment d'appartenance. Mais nous évitons de nous investir dans une activité socialement peu reconnue ou peu gratifiante qui pourrait néanmoins améliorer ou changer tout ce qui nous limite, y compris nos croyances, nos comportements, nos perceptions et nos réactions défensives. Par contre, nous travaillons d'arrache-pied pour obtenir une gratification immédiate. Qui nous en blâmerait ? Les temps sont difficiles et les défis actuels sont de taille. L'ennui, c'est que nous sortons exténués d'une journée de travail et que nous n'avons plus la force d'approfondir nos expériences. Et puis, nous sommes souvent entourés de gens — amis, parents, amants, patrons, associés — qui, consciemment ou non, nous encouragent à suivre leur exemple et à refuser toute forme de changement pour maintenir le *statu quo*.

Oui, ces gens nous soutiennent et nous accordent leur attention, leur amour et leur amitié lorsque nous agissons de manière à laisser les choses en place, à ne rien déranger et, surtout, à demeurer les mêmes à leurs yeux. Pourquoi ? Par malice ? Par méchanceté ? Certainement pas ! Ils sont tout simplement effrayés à l'idée de dire oui au changement. Tout comme nous, ils sont prisonniers du connu et du familier. Avouons-le franchement : souvent, leur réaction n'est pas pour nous déplaire, au contraire ! Nous aimons ces gratifications, cette attention qu'on nous porte, cette acceptation qu'on nous manifeste. Nous voulons appartenir à un groupe, même si cela doit nous empêcher d'aller au-delà de nos capacités intellectuelles. Même si le prix à payer est d'en faire le minimum et de résister aux changements qui nous courtisent. Même s'il faut mener une vie restrictive et peu satisfaisante.

Creuser un peu plus en profondeur

Si nos propos vous semblent alarmistes, vous serez tenté de les nier ou de vous en détourner. Mais nous vous invitons à faire un pas de plus, à creuser un peu plus profondément. Votre voix intérieure ne ment pas. Posez-lui la question : est-il possible que, après toutes ces années à vous faire dorloter, protéger, adorer, encourager à épouser le moule, vous ayez développé de mauvaises habitudes dans le seul but de ne rien bousculer et d'éviter tout changement ?

« Mais je veux changer, protestez-vous, je veux m'améliorer, être fier de moi, faire plus d'exercices, perdre du poids, cesser de fumer. Je veux devenir cette personne dont je rêve pour réaliser enfin mes projets de vie. »

Nous connaissons la chanson pour l'avoir chantée haut et fort pendant des années. Et nous savons ceci : certains de nos défis ne sont pas nécessairement liés à nos vieilles habitudes ou à notre scénario de vie. Nous savons, par exemple, qu'il est de plus en plus difficile d'être un bon parent ou de mener une longue carrière dans un monde où la concurrence et le stress font bon ménage. Ces rôles nous occupent indûment et nous laissent peu de temps libre.

En outre, d'autres défis considérables nous attendent : problèmes de santé, handicaps physiques et soins à prodiguer aux parents vieillissants. À cela s'ajoutent les imprévus de la vie — les pertes et les deuils, les tragédies et les événements qui nous précipitent dans la dépression et l'isolement, qui nous épuisent sur tous les plans. Nous avons le sentiment de ne pouvoir faire rien de plus que le strict nécessaire pour survivre à notre journée.

Oui, nous savons tout cela. Nous savons aussi que certains ont subi des épreuves qui semblent insurmontables, inexplicables, des épreuves qui ne devraient pas exister s'il est vrai que notre monde est protégé par un dieu juste et bon. Mais nous devons tous — individuellement et collectivement — surmonter de telles difficultés.

Nous en sommes venus à croire qu'il doit y avoir du vrai dans ce que nous disent les sages, les religieux et les grands enseignants de ce monde : « Dieu existe, il est bon. Nous ne savons pas toujours pourquoi nous devons traverser de telles épreuves, mais une vérité s'impose : nous avons la force et les ressources intérieures nécessaires pour relever les défis que nous offre la vie. »

Grâce à notre pratique professionnelle, nous sommes persuadés que c'est la vérité. Nous avons œuvré auprès de milliers de personnes qui nous l'ont prouvé. Nous possédons tous la force et les habiletés nécessaires pour surmonter toutes les épreuves. Par conséquent, nous n'avons aucune raison de vivre en deçà de notre talent, en deçà de l'engagement fondamental que nous avons pris du fond de l'âme en venant sur Terre.

Les voies alternatives

Si nos propos vous semblent pertinents, nous désirons vous proposer de nouvelles avenues. Si vous désirez transformer votre vie, sachez qu'il y a de l'espoir. Dites adieu aux obstacles que sont la résistance, la restriction, l'indifférence, la léthargie, la complaisance et l'inefficacité. Vous avez maintenant la chance de plonger tête première dans les eaux bénéfiques du changement, de découvrir et d'exprimer qui vous êtes réellement, de vivre pleinement dans toute votre splendeur et votre majesté.

Ces voies alternatives n'ont rien de sorcier, elles sont faciles à découvrir et à adopter. Nul besoin de connaître des formules magiques. Elles sont simples et directes. En fait, elles passent souvent inaperçus dans notre monde qui privilégie les gratifications instantanées, les succès d'un soir et les solutions magiques.

Comment dire oui au changement et s'engager dans ces nouvelles avenues ? Le secret réside dans un seul mot : *excellence*. Attention ! Il ne faut surtout pas le confondre avec *perfection*, qui suppose l'obtention d'un certain résultat. Le mot *excellence* suggère plutôt un processus d'évolution vivant et tonique. Que d'élégance dans ce vocable remarquable et stimulant ! *Excellence*.

Selon nous, le mot *excellence* renferme une foule de qualités : la volonté de réaliser vos rêves et le courage d'être tout ce que vous désirez devenir ; l'intégrité nécessaire pour suivre votre vérité personnelle ; la volonté de persévérer suffisamment pour dépasser les limites, les peurs et les contraintes qui vous empêchent d'atteindre vos objectifs ; l'honnêteté de reconnaître l'ampleur de la tâche qui vous attend ; l'amour qu'il faut pour chercher et trouver tout ce dont vous aurez besoin ; l'humilité d'admettre votre ignorance et ce qu'il vous reste à apprendre ; le courage de mettre en pratique et de maîtriser les habiletés indispensables pour réaliser votre but ultime. En bref, le mot *excellence* signifie : ne pas vous satisfaire de la médiocrité, ne pas vous arrêter en cours de route, ne pas devoir justifier ce qui est inutile ou inachevé.

Accueillir le changement plutôt qu'y résister

Si vous êtes disposé à vivre l'ouverture et l'expansion de votre être, à accueillir le changement, il ne vous reste plus qu'une chose à faire : tomber amoureux fou de ce nouveau mode de vie, devenir un véritable disciple de l'excellence en tout temps et en tout lieu. Votre tâche est la suivante : vivre le moment présent, découvrir ce que vous devez accomplir et agir en conséquence, en offrant le meilleur de vous-même — sans compromis et sans excuse. Mais ce n'est pas tout. Lorsque vous aurez mené votre projet à terme, vous devrez faire un pas de plus, aller juste un peu plus loin, et encore un peu plus loin. Ou bien restez dans ce petit inconfort juste un peu plus longtemps. Ou appliquez-vous juste un peu plus. Ou agissez avec juste un peu plus d'amour.

Qu'il s'agisse d'une action, d'une pensée ou d'un mot, faites-en une affaire personnelle. Remplissez cette tâche comme si toute votre vie en dépendait. Oui, nous savons, cela peut vous paraître stupide de remplir une tâche insipide — laver la vaisselle ou rédiger une lettre — comme si c'était une question de vie ou de mort, mais croyez-nous : d'une certaine manière, c'est le cas. Lorsque vous vivrez chaque instant avec une telle intensité, vous serez comblé par la vie.

Faites-vous cette promesse : « Chaque fois que j'abandonnerai une tâche, une personne ou une situation, je laisserai les choses en meilleur état que je les avais trouvées. J'accomplirai tout avec *excellence* tout au cours de ma vie. » Si vous respectez cette promesse, vous aurez une vie plus riche, plus abondante. Comment pourrait-il en être autrement ? Vous entrerez dans le monde de la maîtrise de soi et du pouvoir personnel. Dans le monde de l'équilibre. Dans un univers où vous marcherez cœur et bras ouverts, en disant oui au changement.

 Exercices

Ces exercices vous aideront à atteindre l'excellence dans votre vie.

1. Dans votre journal, notez cinq ou six domaines de votre vie où vous pourriez vous améliorer.

2. Notez les sentiments qui vous viennent quand vous songez à votre manque de rigueur dans ces activités.

3. Pour chacun de ces domaines, notez une action concrète à prendre pour vous rapprocher du niveau idéal d'excellence.

4. Quelles sont les qualités que vous possédez et qui vous aideront à exceller ?

5. Notez toutes les autres ressources (personnes, talents, finances, etc.) qui pourraient vous aider.

6. Décrivez brièvement vos sentiments lorsque vous réussissez excellemment à passer à l'action, à réfléchir ou à prendre la parole.

Semez une pensée, vous récolterez une action.
Semez une action, vous récolterez une habitude.
Semez une habitude, vous récolterez un caractère.
Semez un caractère, vous récolterez une destinée.
PROVERBE CHINOIS

6

Faites taire le censeur intérieur

Lorsqu'on nous demande si nous croyons à la liberté d'expression, nous répondons avec enthousiasme par l'affirmative. Au besoin, nous défendons avec ardeur notre droit de parole, soulignant au passage la chance que nous avons de vivre dans un « monde libre », alors que d'autres, moins fortunés, naissent dans des pays régis par des dictatures qui restreignent ou interdisent ce droit fondamental. La liberté d'expression est un sujet qui éveille inévitablement les passions.

Nous le déclarons tous haut et fort : notre liberté d'expression est un droit inaliénable, et pourtant nous sommes si frileux dans l'exercice de ce droit ! Il y a bien sûr des exceptions — les enfants qui n'ont pas encore atteint l'« âge de raison », les personnes âgées que nous traitons avec condescendance, les mourants, les gens que nous tenons pour débiles ou malades mentaux. Hormis certaines caractéristiques comme l'âge, le comportement ou la traversée d'une phase précise de leur vie, qu'ont en commun ces gens ? Pour une raison ou pour une autre, ils vivent tous à l'écart de la société dite normale, dans un environnement protégé et contrôlé. En d'autres mots, à quelques exceptions près, ces êtres n'ont aucun droit et aucun privilège sur le plan juridique.

Comme c'est fascinant ! Les gens qui n'ont aucun droit ont tendance à dire le fond de leur pensée. Par contre, nous, qui jouissons de tous les droits et privilèges et qui les défendons farouchement, nous n'osons pas nous exprimer.

« C'est faux ! direz-vous avec véhémence. Je peux dire tout ce que je veux, à qui je veux et quand je le veux. » En théorie, sans doute, mais nous vous mettons au défi d'y regarder de plus près. Voici ce que vous découvrirez. Vous serez étonné d'apprendre que nous vivons sous un régime dictatorial où nous pratiquons la censure avec une rigueur et une sévérité surprenantes. En fait, la censure est omniprésente, mais elle est insidieuse. Contrairement à la censure pratiquée ouvertement dans d'autres pays, celle que nous retrouvons chez nous est fort subtile et, donc, difficile à cerner.

Un instant ! Avant de vociférer votre rage et d'appeler les policiers à nos trousses, prenez conscience de ce qui suit : il n'y a sans doute personne à lyncher. Aucune conspiration gouvernementale, aucun terroriste étranger, aucun groupe de défense des droits humains à blâmer, pas même l'un de ces défenseurs de la rectitude politique trop souvent ridicule et à la langue bien pendue. Personne pour nous imposer cette censure. Personne. Le plus triste et le plus ironique, c'est que le véritable coupable, ce n'est pas « eux », mais « nous ». Les pires censeurs ne viennent pas d'ailleurs, notre pratique professionnelle nous a convaincus de cela.

Cette théorie peut vous sembler extravagante, mais donnez-vous la peine de tester notre hypothèse. Dès maintenant, faites un exercice. Choisissez quelqu'un — si possible une personne significative, de sorte que l'exercice comporte un certain risque — et confiez-lui un secret.

Se révéler davantage

Allez-y ! Révélez un secret à cette personne ! Racontez-lui comment vous l'avez trompée, ou parlez-lui de ce jour où vous lui avez menti. Dites-lui ce que vous détestez en elle, ce qui vous gêne le plus. Racontez-lui un geste honteux que vous avez fait ou décrivez-lui vos pires habitudes. Confiez-lui ce secret que vous n'avez jamais osé révéler à personne — un désir sexuel, un fantasme, une peur, un vice caché.

Oui ! Faites-le sur-le-champ ! Depuis des années, vous vous obstinez à défendre une idée en sachant que vous avez tort ? Reconnaissez-le. Ou annoncez-lui que vous vous êtes toujours vanté d'avoir accompli telle chose, mais qu'il n'en est rien. Dites-lui que vous brûliez de désir pour cette voisine ou pour cette collègue, ou encore que le sexe vous obsède, ou qu'il vous laisse indifférent. Confiez-lui votre crainte de la voir vous abandonner ou, au contraire, votre hantise de ne jamais avoir un peu de temps libre pour vous, sans elle. Dites-lui ce que vous pensez quand vous vous apercevez dans la glace le matin. Et si vous désirez jouer gros, dites-lui combien vous l'aimez ; confiez-lui que vous vous sentez tendre et vulnérable lorsque vous êtes ensemble en toute intimité.

Allez-y, usez de votre liberté d'expression ! Révélez tout l'espoir, toute la vulnérabilité qui vous étreint lorsque vous lui ouvrez vos bras, vos jambes, votre esprit ou votre cœur. Décrivez-lui ce sentiment qui vous habite lorsque vous la désirez sans trouver les mots pour le dire. Et si vous avez le courage d'aller un peu plus loin, avouez-lui votre peur de vieillir et d'avoir des rides, des seins tombants, un pénis flasque. Parlez-lui des signes de votre mort. Dites-lui ce que vous n'oseriez pas vous révéler à vous-même. Confiez-lui vos doutes sur le sens même de la vie, sur votre sentiment de n'avoir jamais contribué au bien de l'humanité ou de vos proches, sur votre crainte de n'avoir jamais été véritablement aimé. Vous ne savez plus s'il existe quoi que ce soit après la mort, vous doutez des hommes et de l'existence de Dieu ? Dites-le-lui. Allez-y, ouvrez-vous à cette personne, faites-lui une confidence qui lui révélera une partie de votre véritable nature. Après tout, vous avez pleine liberté d'expression, non ?

Vous saisissez, maintenant ? Vous êtes comme la majorité d'entre nous, vous êtes gouverné par un censeur intérieur rigide et sévère qui a été programmé dans le but de vous limiter, de vous restreindre dès votre plus tendre enfance. Votre entourage vous a enseigné — souvent à votre insu et dans toutes les circonstances de la vie — à ne pas respecter vos idées, vos sentiments et vos expériences ; on vous a montré à les cacher, à les filtrer, à les nier ou à les déformer, à faire fi de votre intimité et de votre authenticité. Que cela vous plaise ou non, vous avez sans doute mordu à l'hameçon. Il y a fort à parier que vous avez même avalé et la ligne et le pêcheur !

La pilule magique n'existe pas

Il est grand temps de mater ce censeur intérieur si vous désirez apprendre à dire oui à la vie pour mener une existence satisfaisante et équilibrée, à l'image de vos rêves. Oubliez la pilule magique, elle n'existe pas. Et personne ne fera ce grand ménage à votre place. Vous devez museler ce censeur pour quitter votre situation actuelle et atteindre vos objectifs ; cessez de vous laisser mener par le bout du nez par ce dictateur et gagnez enfin votre liberté d'expression. Pour y parvenir, certains devront appuyer sur la touche « effacer » et faire disparaître à jamais de leur disque dur le logiciel « limites ».

Comment procéder ? Les exercices suivants vous aideront dans cette tâche.

Exercices

1. Endossez le rôle d'observateur. Au cours des prochains jours, passez en revue votre quotidien comme si vous étiez dans la peau d'un journaliste d'enquête. Agissez en véritable professionnel : évitez de modifier quoi que ce soit ! Restez parfaitement objectif. Contentez-vous d'observer et de rassembler l'information. Donc, pendant quelques jours, observez vos pensées, vos émotions et vos actes ; chaque fois que vous êtes en présence d'une personne et que vous vous censurez, notez-le dans votre journal.

2. Soyez attentif à tout ce que vous apprenez sur vous-même pendant ces quelques jours. Quelles sont les pensées que vous censurez le plus souvent ? S'agit-il de réflexions sur vous ou sur les autres ? À quels moments votre censeur intérieur est-il le plus actif, et dans quelles circonstances ? Censurez-vous davantage vos pensées envers les hommes ou envers les femmes ? Notez vos découvertes dans votre journal.

3. Lorsque vous aurez une idée plus précise des pensées et des circonstances que vous avez l'habitude de censurer, commencez à révéler à l'autre votre dialogue intérieur… sans vous censurer. Pendant quelques jours, exercez-vous à dire le fond de votre pensée, sans répéter la scène

auparavant. Sans filtrer l'information, sans dorer la pilule à personne. Dites-le, tout simplement.

Vous le reconnaîtrez sans doute, cet exercice vise à vous redonner votre pouvoir personnel, non à blesser ou à abuser les autres. Vous apprendrez à dire la vérité et à l'assumer. Et la meilleure façon d'y parvenir consiste à parler au «je» : «Je pense..., je sens..., je crois...» Si vous désirez discuter des faits et gestes d'une autre personne, dites-lui ce que son comportement vous inspire. Évitez de lui dire de changer d'attitude ou de lui demander d'être quelqu'un d'autre. Votre tâche consiste à lui transmettre vos émotions, non pas à critiquer ses paroles et ses gestes. Notez dans votre journal vos observations lorsque vous communiquez avec l'autre sans vous censurer.

4. Vous devez maintenant créer une méthode qui vous permettra de vous octroyer une récompense ou une punition positive, au besoin. Ce système est très efficace lorsqu'on veut se défaire du censeur intérieur. Par exemple, choisissez une action bénéfique, mais que vous n'aimez pas faire — bien vous nourrir, faire de l'exercice, approfondir une matière qui vous est utile. Ce sera votre punition positive pour avoir censuré une pensée ou une émotion. Mais lorsque vous communiquez à l'autre votre dialogue intérieur, récompensez-vous.

Pour vous aider dans cet exercice, dressez d'abord une liste d'actions favorables auxquelles vous résistez habituellement et vous aurez en main vos punitions positives — vous aurez donc l'embarras du choix lorsque vous vous censurerez.

Établissez une seconde liste, cette fois de choses que vous aimez faire et qui vous sont bénéfiques. Voilà! Vous avez vos récompenses — à vous de choisir comment vous célébrerez chaque victoire sur votre censeur intérieur.

5. Tout au long de cette période consacrée à faire taire votre censeur, faites un effort particulier pour trouver votre équilibre physique, mental et émotif. N'oubliez jamais ce principe : l'équilibre est le préalable de tout changement véritable. Par conséquent, accordez-vous tout le temps nécessaire, au quotidien, pour investir dans ce que vous avez de plus précieux : votre vie.

Lorsque vous aurez trouvé l'équilibre physique, mental et émotif, vous serez mieux outillé pour répondre adéquatement aux aléas de la vie et pour dire oui au changement.

*Imaginez ce que serait le monde si vous viviez
en vous demandant « qu'est-ce que j'ai à offrir ? »,
et non pas « qu'est-ce que j'ai à cacher ? » !*

ANONYME

7

Sachez être présent, comprendre et accepter ce qui est

Depuis les événements tragiques du 11 septembre 2001, notre monde est plus menacé que jamais. Mais, pour plusieurs d'entre nous, il est depuis toujours synonyme de défis et d'insécurité.

Bien entendu, le danger varie selon les personnes et les circonstances. Certains ne se sont jamais sentis en sécurité dans leur propre maison ou dans leurs relations interpersonnelles, et ce, malgré l'absence de toute forme de terrorisme ou de racisme dans leur milieu social immédiat. Pour d'autres, les frontières de leur ville ou de leur quartier tracent les limites de leur sécurité personnelle. Pour d'autres encore, ces frontières s'éloignent jusqu'aux pays voisins : ils s'y rendent souvent pour y rencontrer des amis, des parents ou des associés. Mais cette situation se fait de plus en plus rare depuis le 11 septembre 2001.

Ainsi, notre sentiment de sécurité et de bien-être varie au gré des saisons et des événements. Expansion, contraction. Nous sommes plus ou moins détendus, plus ou moins sur nos gardes, plus ou moins disposés à nous ouvrir à de nouvelles expériences.

En d'autres mots, notre sentiment de confort et de bien-être, ou d'inconfort et de malaise aura un rôle décisif dans notre manière d'appréhender le monde et d'agir avec les gens. Il est donc essentiel d'examiner attentivement cette question et de découvrir de quelle manière nous pouvons influencer, par nos faits et gestes, notre propre sentiment de sécurité ou d'insécurité. Voyons si nous avons le pouvoir de modifier notre expérience en modifiant simplement notre regard sur les choses.

Revenons sur la citation du début du présent chapitre : « Imaginez ce que serait le monde si vous viviez en vous demandant "qu'est-ce que j'ai à offrir ?", et non pas "qu'est-ce que j'ai à cacher ?" ! »

Quel énoncé puissant ! Mais dans notre monde où le lien qui nous unissait à nos semblables est rompu, ne serait-il pas illusoire et utopique de vouloir modifier notre comportement de manière aussi radicale ? Absolument pas ! Nous avons toutes les raisons du monde de vouloir garder nos distances ; toutefois, nous croyons qu'il est souhaitable, voire nécessaire, de rétablir le lien entre les humains. Peu importent les dangers et les menaces qui nous guettent, nous croyons qu'en cette ère de changements technologiques, scientifiques et culturels, il est essentiel d'apprendre à vivre en harmonie. Nous devons nous ouvrir aux autres plutôt que de nous fermer ; notre vie doit être l'expression de l'amour et non celle de la peur.

Se protéger et se défendre

Voyons de plus près comment nous protégeons et défendons nos idées, nos paroles et nos actes. En fait, nous croyons que notre premier système défensif vient en partie de l'automatisme — fuir ou attaquer — inscrit dans nos gènes. Ce réflexe est une réponse naturelle qui nous protège et nous prépare à réagir devant toute menace physique. Il assure notre survie en nous obligeant à fuir ou à attaquer la source du danger. Comme nous l'avons déjà vu, nos expériences — dont certaines furent particulièrement néfastes sur les plans émotif, spirituel ou physique — nous ont également appris à déployer ce système défensif ou protecteur.

Il importe peu que notre réponse soit naturelle ou justifiée, mais il faut savoir que cette tendance à nous protéger ou à nous défendre peut se retourner contre nous. Ce mécanisme qui était notre allié peut devenir notre pire ennemi lorsque nous continuons à l'activer en l'absence de toute menace. Il ne sert plus à assurer notre survie, mais devient un mur qui nous tient à l'écart de la vie.

En conséquence, nous vous invitons à faire un choix qui vous mènera, éventuellement, à une vie plus satisfaisante et plus stimulante. Libre à vous de vivre sans passion, de repousser toute nouveauté en raison de vos expériences antérieures, de vous laisser intimider par les menaces et les conditionnements du passé quand un événement éclate dans votre vie ou dans le monde. Mais sachez que vous pouvez choisir de vivre autrement, en éveillant votre conscience, en approfondissant votre discernement à chaque moment et à chaque événement de votre vie. Au fil des ans, vous apprendrez à assumer pleinement vos paroles, vos pensées et vos actes, et vous serez l'unique artisan de votre vie.

Dès qu'on décide de vivre ainsi, on constate que ce mécanisme de défense est acquis, qu'il n'est pas lié à notre système naturel

— fuir ou attaquer — qui se met automatiquement en branle devant un danger réel. On comprend alors que ce mécanisme nous sert, en partie, à satisfaire un besoin : avoir raison.

Vous serez peut-être enclin à nier ce dernier énoncé, et c'est normal, puisque nous discutons de situations qui ont trait à la sécurité et à la survie. Mais admettez-le, nous tenons mordicus à avoir raison. Ce besoin est profondément ancré en nous. On nous a appris que ceux qui ont raison sont des êtres intelligents, solides, habiles — l'image même de la réussite. D'autre part, avoir tort est synonyme de défaite ; ceux qui se trompent sont des êtres mal préparés, indignes, inefficaces, et souffrent de pauvreté intellectuelle. Lorsque nous avons raison, nous avons le sentiment de maîtriser la situation. Mais lorsque nous avons tort, nous perdons le contrôle, nous sommes en déséquilibre. La plupart d'entre nous en ont conclu que le fait de se maîtriser peut être un gage de survie. Par conséquent, nous détestons les sentiments d'infériorité, d'impuissance, de mollesse et autres indicibles malaises, et nous sommes prêts à tout pour ne jamais être pris en défaut.

Nous avons plus d'un tour dans notre sac pour arriver à nos fins. Le plus répandu consiste à protéger et à défendre nos opinions, nos croyances et nos paroles. Mais nous défendons aussi, sans qu'il n'y paraisse, nos petits travers, nos préjugés, nos confusions et nos illusions, nos limites, nos faiblesses, nos incompréhensions, nos résistances, nos peurs et nos imperfections.

En montant aux barricades pour défendre nos paroles, nos sentiments ainsi que nos faits et gestes, nous croyons protéger notre intégrité personnelle mais, en réalité, nous protégeons notre territoire.

Qui plus est, le prix à payer est beaucoup plus élevé qu'il n'y paraît. Chaque fois que nous activons notre mécanisme de défense, nous agissons à l'encontre de nos désirs et de nos intentions. Nous mettons toute notre énergie à nous défendre contre une situation ou une personne, ce qui revient à lui accorder un pouvoir énorme. Et plus on lui accorde de pouvoir, plus on dépense d'énergie pour s'en protéger. Nous sommes alors prisonniers d'un cercle vicieux où croyances et actions sont en contradiction. À l'instar de tout système fermé, ce petit manège se poursuit jusqu'au jour où notre comportement défensif attire ce danger si menaçant et lui donne forme. Autrement dit, notre mécanisme de défense attire vers nous ce « monstre » que nous craignons tant, rien de moins.

Être présent, comprendre et accepter

Pouvez-vous agir autrement ? Avez-vous le choix ? Oui. Nous sommes persuadés que, en cessant de vous protéger ou de vous défendre contre une personne ou une situation, vous modifiez la dynamique du moment présent, voire de toute votre vie. Pour y parvenir, vous devez avoir le courage de rester ouvert, d'écouter et de laisser la situation se déployer sous vos yeux ; la volonté d'exprimer le désir profond d'être présent, de comprendre et d'accepter la situation plutôt que de vouloir vous en protéger et vous en défendre. Ne cherchez plus à avoir raison à tout prix, cherchez plutôt à être entièrement présent et conscient.

Ainsi, ce qui était une menace à vos yeux se transforme et devient l'occasion de vous engager plus à fond, de vivre l'empathie, l'harmonie et de faire l'apprentissage d'une plus grande liberté. Et si un véritable danger se présente, vous aurez la capacité de l'identifier et de réagir en conséquence.

Lorsque vous prenez l'engagement d'être présent, de comprendre et d'accepter ce qui est, vous avez accès à deux états intérieurs d'une grande qualité : l'équilibre et la capacité de vivre le moment présent. Or, c'est l'acceptation qui vous ouvre cette porte, car elle entraîne dans son sillage un sentiment de liberté, de nouvelles sources d'énergie et de passion. En abandonnant votre système défensif, vous ne voyez plus les choses de la même manière, vous gagnez une certaine objectivité. Ayez la sérénité d'accepter les choses que vous ne pouvez changer, le courage de changer celles que vous pouvez changer, et la sagesse de les distinguer les unes des autres.

Examinons plus à fond cette théorie, voyons si vous avez le pouvoir d'influencer le cours de votre vie et de modifier vos réactions face au monde et aux changements majeurs que vous aurez à vivre.

Vous connaissez sans doute une personne fort anxieuse, qui craint toujours le pire ou qui est convaincue que les gens sont mal intentionnés; ou une personne qui se dresse sur ses ergots dès qu'on lui fait la moindre remarque. On les entend souvent dire « oui, mais… ». Ces gens affirment vouloir collaborer, mais ils y mettent toutes sortes de conditions, d'exceptions et d'objections, de telle manière qu'il est difficile, voire impossible, de s'entendre avec eux. Ils s'opposent et finissent par tuer dans l'œuf tout projet commun.

Ces gens, que nous appellerons les « anxieux » et les « oui-mais », ont tendance à limiter leurs déplacements et leurs actions afin d'éviter l'objet de leur angoisse ou de leur objection. Ils croient être prudents en agissant de la sorte mais, en réalité, ils sont sous l'emprise du passé, d'expériences et d'informations anciennes. Ils passent à côté de toute expérience qui pourrait leur apporter une nouvelle compréhension, une nouvelle perception et une nouvelle attitude devant la vie. Ils disent systématiquement non à la vie et au changement et demeurent prisonniers de leurs croyances négatives et des peurs liées au passé.

En contrepartie, vous connaissez sans doute des personnes qui prennent un véritable plaisir à découvrir tout ce qui est nouveau, inconnu et différent. Ces gens s'intéressent vraiment aux autres, à ce qu'ils pensent, à ce qu'ils font et à ce qu'ils sont. Ils acceptent d'avancer vers l'inconnu et l'ambiguïté, ils aiment la diversité et la variété. Bien moins nombreux que les « anxieux » et les « oui-mais », ces aventuriers semblent traverser la vie avec beaucoup de facilité ; ils se font aisément des amis et reçoivent beaucoup de la vie. Bref, ces gens sont plus ouverts et acceptent les aléas de la vie.

Chacun est responsable de sa vie

Lorsque la vie vous offre des défis à relever, des occasions à saisir, votre réaction peut différer d'une fois à l'autre. Vous êtes parfois disposé à rester ouvert et présent à cette situation mais, en d'autres temps, vous avez plutôt l'habitude de vous protéger et de vous défendre. Dans le repli sur soi, vous réalisez parfois que vous en avez assez de vivre ainsi, dans la contraction, la peur, l'anxiété. Vous prenez conscience de tous les efforts, de toute l'énergie que vous déployez pour maintenir cette attitude de fermeture.

Si vous en avez vraiment assez de ces limites et de ces restrictions, vous êtes sans doute prêt à explorer de nouvelles stratégies. Vous désirez faire l'essai d'un nouveau mode de vie plus efficace où la présence et la compréhension sont à l'honneur. Dans ces circonstances, vous êtes peut-être disposé à accueillir une nouvelle perception des choses selon laquelle vous, et seulement vous, êtes responsable de la manière dont on agit à votre égard. En d'autres termes, votre patron, votre amant, votre conjoint, votre ami, votre enfant, vos frères et sœurs et même les étrangers se comportent envers vous en réponse à un signal — conscient ou inconscient — que vous leur transmettez. En bref, on vous traite exactement comme vous le demandez. Ces gens ne sont pas des menaces ou des épines au pied comme vous le pensiez ; ils sont simplement d'excellents comédiens qui tiennent leur rôle dans cette pièce de théâtre qui est votre vie et dont vous êtes le producteur, l'auteur, le metteur en scène et l'acteur principal.

Vous n'aviez jamais vu les choses sous cet angle ? Vous y avez songé à l'occasion ? Peu importe, posez-vous maintenant un certain nombre de questions commençant par : « Et si... » Par exemple : « Et si ma vie était le reflet de mes croyances, de mes pensées et de mes actions ? Et si j'étais le véritable artisan de toutes mes peurs, de mes joies, de mes inquiétudes et de mes plaisirs ? Et s'il était vrai que je concède du pouvoir et de l'énergie à cette personne ou à cette situation contre laquelle je me défends avec acharnement ? Et s'il était vrai que j'envoie des messages — verbaux et non verbaux, corporels ou non —, et que mes vis-à-vis peuvent les capter, les lire et y répondre ? Et si la nature même de mes messages déterminait leur désir de me répondre ou non, ainsi que la teneur de leurs réponses ? Et si j'avais le pouvoir de changer tout cela ? Et si je pouvais vivre librement, sans les peurs, les angoisses, les inhibitions, les obstacles qui me tyrannisent ? Et si j'apprenais à dire oui au changement pour me donner la chance de mener la vie dont je rêve ? »

Imaginez que vous êtes le maître de votre destinée, que vous n'êtes plus le jouet de vos peurs ni de vos projections, que vous ne montez plus aux barricades pour défendre vos croyances et vos expériences du passé. Imaginez que vous vivez à fond dans le moment présent, au cœur de votre vie. Vous vous y engagez, vous y investissez et vous y intéressez réellement, en laissant se déployer sous vos yeux chaque instant. Imaginez que vous êtes celui que vous étiez destiné à devenir : authentique, innovateur, puissant, magnifique, original, sans peur du changement et désireux de vivre pleinement sa vie.

Le temps est venu de dire oui au changement, d'en reconnaître le caractère inéluctable et de briser les chaînes de vos habitudes désuètes. Vous devez cesser de rationaliser et de vous excuser, de vous défendre, de vous protéger, de vous expliquer sans cesse pour vos paroles, vos pensées et vos actions. Il est temps d'assumer enfin vos paroles, vos pensées et vos gestes ; d'être l'artisan de votre vie et d'accepter le pouvoir que cette autorité vous confère.

Quitter les coulisses et occuper la scène

Dès que vous cessez d'utiliser votre système défensif et de résister au changement, vous quittez les coulisses pour occuper la scène inondée de lumière. Vous sautez à pieds joints dans la pièce qui se joue. À titre d'acteur de votre vie, vous avez le devoir de réclamer votre droit de naissance, à savoir le pouvoir et la magnificence.

Comment y parvenir ? Évidemment, la réponse à cette question est simple à formuler, mais difficile à réaliser. Il suffit de « le faire », tout simplement ! Et dès maintenant ! Avancez peu à peu. Libre à vous de faire de grands ou de petits pas. L'important, c'est de surveiller vos réactions. Évaluez la situation à partir des faits nouveaux et non en vous référant au passé. Laissez l'événement se déployer et réagissez avec amour, patience et confiance, en état d'aventure ; et surtout, sachez que vous trébucherez sans doute à plusieurs reprises. Vous connaîtrez de faux départs, vous souffrirez de quelques ecchymoses et de soubresauts avant d'atteindre un certain niveau de conscience et d'équilibre. Mais vous y parviendrez, c'est certain car, au bout du compte, que cela vous plaise ou non, nul n'a le choix, et comme pour chacun de nous, la vie vous changera. La question est de savoir de quelle façon vous vivrez ces changements. Dans la joie, l'acceptation, l'ouverture, la curiosité et l'enthousiasme ? Ou dans la colère, la tristesse, le cynisme et la résistance ?

Par conséquent, cessez de vous défendre et de vous protéger. Commencez dès maintenant à vivre dans le présent et cherchez à comprendre la situation qui s'offre à vous. Bref, dites oui au
changement et à la vie.

Exercices

Les exercices qui suivent vous aideront sans doute
à abandonner vos mécanismes de défense pour
apprendre à vivre au présent, à comprendre et à
accepter ce qui est.

1. Au cours des prochains jours, observez vos pensées, vos émotions, vos désirs, vos paroles et vos
   actes, et notez dans votre journal ce que vous
   cherchez habituellement à défendre ou à justifier.

2. En marge de chaque élément de la liste, décrivez brièvement vos sentiments lorsque vous
   défendez ou justifiez cette attitude.

3. Retracez les situations qui vous incitent davantage à expliquer, à rationaliser et à justifier vos
   propos. Quel est l'enjeu du moment? Selon vous,
   quelle serait la perte encourue si vous refusiez
   de vous défendre et de justifier ce que vous êtes
   ou ce que vous désirez? Risquez-vous de perdre
   votre gagne-pain, votre salaire, la reconnaissance?
   Risquez-vous d'être touché par autrui? Vaut-il la
   peine de sacrifier votre estime de vous-même,

votre efficacité et votre pouvoir personnel pour
ces enjeux?

4. Avec quelles personnes de votre entourage avez-
vous tendance à vous justifier et à vous défendre?
Faites-en la liste.

5. Si vous mettez fin à ce système défensif, quel sera
le prix à payer auprès de ces personnes? Que
risquez-vous de perdre?

6. Si vous êtes disposé à explorer de nouvelles stratégies et de nouveaux comportements, voici une
étape fort importante. Dans vos relations personnelles, à quel moment avez-vous cessé de défendre
et de protéger vos pensées, vos émotions, vos
désirs, vos propos et vos gestes? Comment vous
sentez-vous depuis lors? Comment évolue votre
relation?

7. Dressez la liste des récompenses et des punitions
positives que vous utiliserez pour vous motiver
à mettre fin à votre système défensif et à
commencer à vivre dans le présent, à comprendre
et à accepter ce qui est.

Le remède à l'ennui, c'est la curiosité. Fort heureusement,
il n'existe aucun remède contre la curiosité !

ANONYME

8

Honorez vos désirs
et vos aspirations

Tout au long de notre vie, à la maison, à l'école et à l'église, on nous fait comprendre qu'il n'est pas acceptable d'avoir des désirs, encore moins de les exprimer. Évidemment, ce message fréquent et envahissant nous est souvent transmis par un tout petit mot, «non», qui a le don de mettre un frein à notre curiosité et à notre enthousiasme. Mais le jeu ne s'arrête pas là: on parvient à nous mettre en boîte de mille et une façons. Passons en revue les institutions scolaires, les familles, les clubs, les organismes communautaires, certains écrits et même certaines disciplines comme la philosophie, la biologie, la psychologie et la théologie. Partout, on nous répète le même discours: nos désirs sont synonymes d'égoïsme, quand ils ne sont pas tout bonnement des péchés.

On nous dit que nos désirs émanent de notre côté animal, et certains les associent à l'indiscipline, à l'excès et aux pires calamités. Pour se prémunir contre ce trouble-fête qu'est le désir, parents, enseignants et religieux nous ont vite montré à tenir en bride nos instincts et à dompter nos impulsions à coups de raisonnement et de discipline. Nous avons appris à nier la moindre tentation qui ose monter du fond de ce coin sombre et dangereux où sont tapis nos désirs. Évidemment, jamais ces mêmes adultes n'ont répondu à cette question : aux yeux de qui nos désirs sont-ils à ce point menaçants ?

Soyons honnêtes. Il y a du vrai dans leur message. Nous vivons dans un monde empreint d'envie et de gloutonnerie où les apparences tiennent le haut du pavé, où nous consacrons toute notre énergie à accumuler des biens ou à défendre notre part du gâteau. Soyons précis sur la nature de ce chapitre. « Honorez vos désirs et vos aspirations » n'est pas une invitation à accumuler les biens matériels ou à réaliser encore plus de projets, bien que cette avenue puisse faire partie de votre processus personnel. C'est une invitation à choisir la vérité, la découverte et l'expression de soi, et à regarder bien en face vos désirs en vue de donner enfin libre cours à cette fontaine d'énergie, immense et extraordinaire, qui reste piégée au fond de vous sous forme de désirs secrets et inavouables. Ce chapitre vous invite à explorer une nouvelle avenue qui, nous l'espérons, vous dévoilera un autre aspect de votre véritable nature.

Examinons d'abord vos croyances face au désir. Voyons si ce qu'on vous a inculqué a à voir avec la vérité. Pour mener cette enquête, la meilleure méthode consiste à observer vos désirs (ou leur absence) dans votre quotidien. Vous pourrez déterminer si ces désirs sont bons, mauvais ou neutres après les avoir soumis au test… de la vérité. Cette évaluation vous indiquera si vos désirs proviennent d'une nature sauvage et indisciplinée — qui nécessite qu'on y mette un frein — ou bien de la profondeur de l'âme, d'un état d'esprit authentique, naturel, bon, inspirant et essentiel.

Nous vous proposons de commencer l'enquête en identifiant vos désirs personnels. Vous avez déjà entamé cette réflexion dans le premier chapitre, en décrivant votre vie idéale et certains de vos désirs — comme la maison de vos rêves, votre vie rêvée au quotidien, la carrière idéale, etc.

Le moment est venu d'approfondir la nature de ces désirs en y ajoutant quelques précisions. Que désirez-vous réellement ?

Le fabuleux pouvoir du désir

Avant de continuer, prudence ! Nos désirs sont extrêmement puissants. Au fil de nos années de pratique, nous avons découvert que les désirs sont à la source d'une formidable énergie qui nous habite tous. Ils sont la porte d'entrée vers une meilleure connaissance de soi et nous permettent de répondre à ces questions fondamentales : Qui suis-je ? Pourquoi suis-je sur terre ? Dieu existe-t-il ? Par conséquent, avancez prudemment sur ce terrain glissant. Si vous exprimez vos désirs avec honnêteté, ils seront à l'image de vos aspirations profondes. Reflets de vos véritables passions et de votre but ultime, vos désirs peuvent vous guider vers des expériences extraordinaires qui surpassent vos rêves les plus fous. Rappelez-vous qu'en nommant vos désirs, vous éveillez cette fabuleuse source d'énergie qui peut et qui saura changer votre vie. Restez vigilant et honnête, faites preuve de discernement mais, surtout, écoutez cette « paisible voix intérieure » qui est la source même de votre sagesse. Ce faisant, vous agirez toujours dans le respect de vous-même et des autres.

Voici la première étape de cette démarche. À tout moment, devant toute action ou pensée, pendant toute conversation ou réflexion sur votre vie, posez-vous cette question fondamentale : qu'est-ce que je désire réellement ? Laissez ensuite la réponse se déployer par elle-même ; nul besoin d'agir immédiatement. En fait, nous vous recommandons de ne faire aucun geste pendant un certain temps. Ne faites rien de plus qu'observer. Sentir. Contempler. Considérer. Notez vos découvertes. Soyez attentif aux choix que vous faites ou ne faites pas, voyez de quelle manière l'expression de vos désirs modifie votre énergie, votre confiance, votre certitude d'avoir de la valeur et votre joie.

Peut-être nourrissez-vous un désir de longue date. Partir en voyage. Apprendre une nouvelle langue. Dire à un proche que vous l'aimez ou lui avouer ce petit détail qui vous dérange. Peu importe, choisissez un désir qui vous habite et imaginez-vous l'exprimant. Imaginez la scène, voyez vos gestes, entendez vos paroles. Portez attention à vos sentiments. Comment vous sentez-vous en libérant cette énergie contenue depuis si longtemps ? Éprouvez-vous de la joie, de l'enthousiasme ? du regret ou de la tristesse ? Quels que soient les sentiments qui font surface, accueillez-les, sentez-les, observez-les et laissez-les vous renseigner sur ce désir et sur son expression.

Maintenant que vous avez identifié certains désirs, passez à l'étape suivante. Retirez-vous dans un lieu paisible où personne ne viendra vous déranger. Dans votre journal de bord, dressez la liste exhaustive et non censurée de tous les désirs qui vous viennent à l'esprit. Accordez-vous une entière liberté. Faites cette liste uniquement pour vous. Personne d'autre ne la lira. Détendez-vous. Aucune justification à donner, aucune explication, aucune obligation rattachée à vos découvertes. Oubliez la crainte du changement. Laissez simplement couler de votre plume un océan de désirs issus de votre conscience.

Identifier et célébrer ses désirs

Certains de vos désirs sont fous, inaccessibles, audacieux ou extraordinaires ? Ne les jugez pas. Nommez-les, tout simplement. Vous pouvez mettre sur la liste tout ce qu'on peut imaginer : avoir une immense maison, gagner à la loterie, obtenir un diplôme universitaire avec les plus grands honneurs ; posséder une volumineuse poitrine, des fourrures et des bijoux, une voiture de luxe, deux amoureux, une résidence à Cannes ; être riche et puissant ; avoir un énorme pénis et un tas de relations amoureuses ; connaître la paix éternelle et l'harmonie ; inventer la prochaine génération de vaisseaux spatiaux ; changer le monde ; jouer du piano ; faire l'amour avec l'être de vos rêves ; exprimer votre amour avec profondeur et authenticité à votre conjoint ; avoir une petite maison dans la forêt ; mener une vie plus paisible, avec moins de souffrance et une meilleure connaissance de Dieu. Quels que soient vos désirs, nommez-les ! Ajoutez-les à la liste. Ils sont vôtres !

Assumez vos désirs, observez-les et voyez où ils vous mènent. Ensuite, ajoutez une foule de détails à votre liste. Décrivez chacun de vos désirs avec fantaisie. Soyez clair, évitez les formules vagues ou exagérées. Cherchez le mot juste. Ne laissez rien au hasard, ne camouflez pas l'essence même de ce désir en utilisant des mots lénifiants, comme *joie* ou *bonheur*. Ces termes sont extraordinaires, c'est vrai, mais si vous les employez, donnez-en une définition personnelle. Pour de meilleurs résultats, optez pour des mots justes et précis. Vous pourrez ensuite faire l'expérience de ces désirs, clairement et simplement. Vous pourrez commencer à les visualiser et, enfin, à les réaliser.

L'étape suivante consiste à établir la liste de vos priorités. Durant cet exercice, voyez comment se répartissent vos désirs et créez des catégories : biens matériels ; talents et habiletés ; lieux que vous désirez visiter ; expériences intérieures que vous souhaitez vivre, comme les humeurs et les états de conscience ; expériences spirituelles, comme recevoir la grâce, vivre la paix intérieure ou faire l'expérience de Dieu. Et souvenez-vous : il n'existe pas de « bons » ni de « mauvais » désirs. Toutefois, si vos désirs concernent principalement deux ou trois catégories, il serait intéressant de le noter. Puis, demandez-vous si cette répartition est équilibrée et si elle illustre bien la vie dont vous rêvez. Par contre, si tous vos désirs aboutissent dans une seule catégorie, demandez-vous si la satisfaction de ces désirs vous comblerait vraiment.

Nommer ses désirs et en déterminer l'importance est un exercice capital. Cela vous permettra d'identifier chaque désir particulier — par exemple acquérir un bien (une nouvelle voiture ou une maison luxueuse) — qui sous-tend le besoin de vivre une expérience précise (un besoin de sécurité, d'affirmation ou d'acceptation sociale). Vous vous rendrez sans doute compte que vous pouvez satisfaire chaque besoin de diverses manières, et peut-être découvrirez-vous un moyen simple et direct d'y arriver, un moyen qui saura satisfaire simultanément d'autres désirs. Quoi qu'il en soit, plus vous explorerez vos désirs et leurs significations, plus vous serez conscient de vos aspirations les plus profondes. Votre marche vers l'authenticité sera couronnée de succès.

Nous vous proposons une marche à suivre toute simple, en quatre temps :
1. Nommez vos désirs.
2. Décrivez vos désirs en détail, avec précision, mais évitez les formules vagues et les exagérations.
3. Dressez la liste de vos désirs par catégorie et par ordre d'importance.
4. Pour chacun de vos désirs, notez l'expérience, le résultat ou l'apprentissage sous-jacents que vous souhaitez obtenir ; et

voyez s'il existe un chemin plus direct pour parvenir au même résultat.

Ces quatre étapes simples sont la clé d'une plus grande liberté. Faites-en l'expérience. Courez quelques risques. Qui sait ? Vous êtes peut-être au seuil de l'équilibre et de la liberté !

 Exercices

Nous vous encourageons fortement à faire ces exercices : ils vous apprendront à reconnaître et à honorer vos désirs et vos aspirations.

1. Dressez la liste des qualités, des expériences, des biens matériels et des états intérieurs que vous désirez expérimenter.

2. Passez en revue votre liste de désirs. Repérez les expériences, les relations et les biens matériels pour lesquels vous n'êtes pas disposé à faire le nécessaire pour les obtenir, et rayez-les au passage.

3. Reprenez votre liste épurée et répartissez vos désirs en catégories — biens matériels, expériences, carrière, relations, vie intérieure, etc.

4. Classez vos désirs par ordre d'importance. Par exemple : A) désirs les plus importants ; B) désirs importants mais non en tête de liste ;

C) désirs réels (expériences, biens, relations et accomplissements), mais dont vous pouvez facilement vous passer.

5. Établissez la liste des désirs liés à vos aspirations les plus profondes — ceux qui viennent du fond de l'âme, qui correspondent à vos plus grandes passions et à votre vie idéale.

6. Parmi cette dernière liste, choisissez les quatre ou cinq désirs les plus importants et décrivez-les brièvement. Évitez les formules vagues ou les exagérations qui pourraient voiler la valeur et la signification profonde de ces désirs. Soyez concret et précis.

7. En marge de chacun de ces désirs, notez une action concrète à faire pour entamer la réalisation de ce rêve.

8. N'oubliez pas d'intégrer dans ce plan votre mode de récompenses et de punitions positives. Toutefois, il faut reconnaître que chaque étape franchie vers votre objectif est en soi une récompense !

9. L'étape suivante, essentielle, consiste à lâcher prise, à ne pas vous attacher à la réalisation de ce désir. Comme l'affirmait Lester Levenson, auteur de la méthode Sedona : « Vous ne pouvez vouloir et avoir une chose simultanément. » Car « vouloir » et « avoir » occupent ici le même espace-

temps. Songez-y! Vous ne pouvez tenir fermement un objet d'une main et, de cette même main, tenter d'empoigner un second objet. Donc, lorsque vous aurez identifié clairement votre désir, offrez-le à l'Univers et ayez confiance. Il vous sera permis de le réaliser si vous faites les efforts nécessaires.

10. Enfin, chaque fois que vous réalisez un de vos désirs, passez au suivant. Procédez ainsi jusqu'à la réalisation de tous vos désirs (voir le point n° 4). Comment saurez-vous que vous avez consacré assez de temps et d'énergie à la réalisation d'un désir? N'ayez crainte, vous le saurez, tout simplement.

Le bonheur qui repose sur quelque chose n'est rien de plus qu'une souffrance déguisée. L'extase ne repose sur rien.

DEEPAK CHOPRA

9

Agissez avec détachement,
évitez de réagir !

Nous marchons, discutons et respirons depuis des années. Par conséquent, on nous dit *vivants* selon l'acception première du terme. Mais nous prenons tous conscience, un jour ou l'autre, de n'avoir jamais vécu pleinement. Nous ne menons pas cette vie engagée, passionnée et vibrante qui nous appelle du fond de l'âme, nous n'osons pas nous exprimer tels que nous sommes vraiment dans toute notre vérité, notre unicité et notre splendeur.

Trop souvent, nous avançons dans la vie comme des robots, plus ou moins consciemment. Mais rien n'est perdu, il y a place pour l'espoir, puisque la plupart de nos fonctions vitales sont régies par un mécanisme automatique. Si notre corps ne fonctionnait pas ainsi, nous aurions à surveiller consciemment et avec vigilance tous ces systèmes physiologiques — surtout, ne pas oublier de respirer, de faire circuler le sang, d'éliminer les déchets organiques... Si nous étions ainsi faits, beaucoup seraient morts et enterrés depuis longtemps à la suite de quelque oubli fatal.

Nos fonctions vitales sont donc contrôlées par un mécanisme automatique et c'est tant mieux, mais il y a un revers à toute médaille : cela nous incite à vivre nonchalamment. Nous sommes peu enclins à vouloir faire l'expérience de l'éveil, de l'engagement, et à assumer l'entière responsabilité de notre vie.

Si nos propos vous touchent, sans doute éprouvez-vous à l'occasion un sentiment de culpabilité devant votre manque de responsabilité (habileté à répondre) à vivre pleinement votre vie, à profiter de ce privilège avec vigueur et enthousiasme. Avez-vous découvert que vous vous contentez de réagir à ce qui s'offre à vous ? Ou, au contraire, cherchez-vous à provoquer les choses de manière à vivre les expériences que vous avez choisies et qui sont réellement significatives à vos yeux ?

Avez-vous parfois l'impression d'être à la merci de la vie — de suivre des directives, d'être activé, stimulé, manipulé, rejeté, accepté par les gens ou le monde qui vous entoure ? Êtes-vous en attente d'un signe quelconque, spécial et indéfinissable qui vous permettrait enfin d'être vous-même et de vous exprimer en toute liberté ? Vous arrive-t-il parfois de vous activer — faire une quantité d'appels, rencontrer plein de gens, etc. — ou de prétendre vivre pleinement, alors que, en réalité, vous attendez toujours qu'on vous donne la permission de commencer enfin à vivre votre vie ?

Ce tableau n'a rien de réjouissant, avouons-le ! On frôle l'ironie, non ? Nos fonctions vitales sont involontaires, mais non l'engagement ni la responsabilité ou l'intégrité. Ni le pouvoir personnel. Nous pouvons donc maîtriser ces domaines. À nous d'en profiter.

À la croisée des chemins

L'heure des choix a sonné. Vous êtes à la croisée des chemins. Que choisir ? Continuer d'attendre et prétendre que cela vous convient parfaitement, ou dire oui au changement et prendre l'entière responsabilité (habileté à répondre de manière proactive) de votre vie ?

Libre à vous de continuer à nier votre désir d'abondance et de nouveauté, ou encore de reconnaître vos besoins. Que choisir ? Continuer à vivre comme une marionnette qui attend qu'un illusionniste tire sur les ficelles ? Nier que plus vous laissez les autres décider de votre vie, plus vous perdez votre temps et plus vous amenuisez vos chances de jouer un rôle important et significatif dans cette grande comédie humaine ? Ou encore crier haut et fort votre engagement à dire oui au changement et à la vie ?

Vous croyez que nous exagérons ? Nos propos vous semblent sans doute injustes et insensibles, mais ils sont plutôt gentils… Songez à tous ces crimes monstrueux que nous commettons contre nous-mêmes lorsque nous acceptons de vivre en deçà de notre potentiel. Vous verrez comme nos propos sont empreints de compassion… quand on les compare aux jugements sévères que vous nourrissez à votre égard pour vous convaincre que vous vivez pleinement, alors que vous ne faites rien de plus qu'attendre et réagir. En fait, vivre passivement est un crime majeur. Le plus triste de l'histoire, c'est que vous êtes à la fois la victime et le prédateur ; vous êtes également le juge, le jury et l'accusé qui sera déclaré coupable, qui recevra sa sentence, sera emprisonné et finalement exécuté. C'est notre lot à tous lorsque nous refusons le changement, lorsque nous n'avons pas le courage ni la volonté d'accepter de vivre notre vie de manière responsable et proactive, de cesser d'attendre et de prendre la vie à bras-le-corps.

La route du détachement

Critiquer. Geindre. Se plaindre. Souvent, nous râlons contre nos conditions de vie pour masquer nos infidélités envers nous-mêmes, mais, en fait, nous cherchons à cacher notre rôle de victime dans notre scénario de vie. Or, nous ne sommes pas des victimes et nous ne l'avons jamais été. Car la vie ne s'impose pas à nous. Nous sommes les propriétaires des lieux — au pire, des propriétaires qui brillent par leur absence, dont les immeubles mal entretenus tiennent à peine debout, dont les ressources s'épuisent, des propriétaires incapables d'ouvrir leur cœur et leur esprit pour changer, pour mettre leurs talents au service de leurs rêves.

Heureusement, les choses peuvent se passer autrement. Vous êtes libre d'accueillir le changement qui se présente à vous inopinément, naturellement et inextricablement. Votre vie peut vous appartenir, vous pouvez réellement la saisir à bras-le-corps ! Vous pouvez vous exprimer librement. Vous pouvez réaliser vos rêves. Le chemin le plus court pour y arriver consiste à prendre la route du détachement, puis de plonger dans cette mer de changements et de transitions inhérents à la vie.

Vous attendez un signe de la vie ? Vous ne faites que réagir aux aléas de l'existence ? Alors voici la clé de la liberté et de l'équilibre personnel : apprenez à agir avec détachement. Oui, agir avec détachement vous permettra d'évacuer la souffrance et la douleur. Mais c'est aussi une voie d'accès à la créativité ; c'est devenir l'artisan de sa propre vie ; c'est apprendre à accueillir la vie avec confiance et authenticité.

Ne nous emballons pas ! Nos propos peuvent vous sembler absurdes. D'autres diront pourtant que c'est l'évidence même. Mais arrêtez-vous un moment pour y réfléchir, prêtez-vous à l'expérience et vous découvrirez la vérité qui s'y cache. Déjà vous avez en main les outils nécessaires. Vous aurez bien peu d'efforts à faire. C'est simple : il vous suffit d'être actif et engagé dans tous les aspects de votre vie sans jamais être attaché aux résultats qui en découlent. Évitez le sabotage, ne vous fixez aucun objectif précis. Souvenez-vous de la parabole de cet homme qui regardait par la fenêtre pour voir venir son invité, alors que ce dernier l'attendait sur le seuil de la porte.

À peine quelques pas

Comment agir avec détachement ? Sachez d'abord qui vous êtes et ce que vous faites. Observez vos actions. Vos pensées. Vos émotions. Essayez de saisir le moment où l'attachement fait son apparition. Notez son impact sur vos pensées, sur vos émotions et sur votre degré de satisfaction face aux « résultats » obtenus. En bref, laissez votre vie se déployer sous vos yeux.

Apprenez maintenant à demeurer dans le moment présent. Concentrez-vous sur ce qui est. Ne projetez pas vos croyances et vos sentiments dans l'avenir. N'agissez pas en cartomancien ou en diseur de bonne aventure. Restez le témoin impartial des événements. Agissez comme un journaliste qui relaterait l'histoire de votre vie et, sans doute pour la première fois, prenez conscience de ce qui se passe réellement sous vos yeux. Qu'importe l'action, l'objet, la situation, la personne, l'expérience ou l'événement qui surgissent, accueillez ces choses telles qu'elles sont. Ne cherchez pas à modifier ou à déformer la vie en y mêlant vos attentes, vos angoisses et vos confusions. Ne cherchez surtout pas à faire une expérience en tout point pareille à vos espérances pour finalement vous féliciter d'avoir eu raison : vous passeriez sans doute à côté de la magie qui ne demande qu'à s'accomplir. Ne l'oubliez pas : lorsque vous vous attachez à un résultat précis, vous limitez et freinez vos choix et votre marge de réussite. Et si le résultat éventuel était plus riche et satisfaisant que celui que vous aviez prévu ?

Pourquoi vous limiter ainsi ? Faites des choix plus avisés. Accueillez les choses comme elles sont et découvrez leur vérité profonde. Déguisez-vous en détective et partez à la recherche de la vérité. Revêtez la toge du juge neutre et impartial. Comme à la cour, laissez l'information et l'expérience de chaque instant se présenter devant vous avec impartialité. Vous n'avez rien d'autre à faire. Il vous suffit d'observer. Nul besoin de vous préparer, de vous pratiquer ou de vous défendre en prévision d'une situation projetée ou attendue. Soyez détaché des résultats. Contentez-vous d'observer. Et lorsque vous en avez envie, allez-y, plongez et participez. Mais n'oubliez jamais d'agir avec détachement, sans inquiétude. Ne vous posez pas de questions comme : « Aurai-je un rôle à jouer ? Qu'est-ce qu'on attend de moi ? Que dois-je porter pour l'occasion ? »

Acceptez ce qui est. Ayez confiance. Agissez — pleinement et activement —, mais sans vous attacher inconsidérément aux résultats. Dans votre for intérieur, vous savez comment faire. Suivez votre voix intérieure et vous resterez neutre et équilibré. Si vous avez effectué les exercices prescrits au huitième chapitre, vous en tirerez d'énormes bénéfices. En nommant vos désirs et en les classant par catégories, vous avez identifié vos aspirations profondes. Ainsi, vous ne serez pas aveuglé par vos besoins inassouvis ou secrets. Alors, votre vie se déploiera sous vos yeux avec force, spontanément.

Souvenez-vous de la sagesse de cet adage afghan : « Si la chance est avec toi, pourquoi courir ainsi ? Et si la chance n'est pas avec toi, pourquoi courir ainsi ? »

Exercices

Nous vous recommandons fortement ces exercices. Faites-en l'expérience, intégrez-les dans votre quotidien. Ainsi, vous apprendrez à agir avec détachement et nous vous promettons que vous en serez mille fois récompensé.

1. Au fil de vos activités quotidiennes, observez-vous avec détachement et notez les pensées, les croyances, les émotions, les paroles et les actions qui vous font réagir. Tenez un registre des principales situations auxquelles vous avez l'habitude de réagir.

2. Essayez d'identifier les principaux enjeux qui vous font spontanément réagir. Décrivez ensuite les sentiments qui vous habitent et les conséquences de votre réaction sur votre capacité à atteindre l'objectif que vous vous étiez fixé.

3. Notez des exemples de situations qui ne provoquent aucune réaction de votre part et qui ne vous empêchent pas de rester présent à ce qui est ; et de situations qui font réagir les autres, mais qui vous laissent impassible.

4. Examinez ces listes. Comment vous sentez-vous lorsque vous réussissez à garder votre calme ? lorsque vous réagissez spontanément ? Comment

se comporte votre entourage ? Comparez votre degré d'efficacité dans les deux cas.

5. Essayez d'identifier les croyances qui sont à l'origine de vos réactions les plus vives. Imaginons que la colère et l'impatience sont vos réactions les plus courantes et que le mensonge de l'autre est ce qui vous fait sortir de vos gonds. Vous êtes peut-être convaincu qu'une personne qui ne vous dit pas la vérité n'est pas digne de confiance. Mais si vous approfondissez un peu les choses, vous découvrirez sans doute que cette croyance cache autre chose, par exemple qu'une personne qui n'est pas digne de confiance représente une menace à votre intégrité et à votre sécurité personnelle. Vous avez saisi le principe ? Chacune de vos réactions cache une ou plusieurs croyances sous-jacentes. Nous vous suggérons de les identifier et de les nommer.

6. Dressez une liste de six croyances sous-jacentes que vous désirez changer pour mener une vie plus équilibrée et pour agir avec détachement.

7. Passez en revue les principales situations qui vous font réagir spontanément et, pour chacune d'elles, trouvez diverses attitudes et réponses positives en guise de remplacement.

8. Pour finir, soyez bon et patient envers vous-même. Lorsque vous réagissez, tâchez de voir le petit côté humoristique de votre comportement. On est parfois très drôle quand on réagit comme un sot.

L'éducation coûte cher ? Essayez donc l'ignorance !

ANONYME

10

Prêtez l'oreille à votre dialogue intérieur

Parle, parle, jase, jase. Sans arrêt, comme une pie, souvent à notre détriment. C'est le dialogue intérieur. Nous discutons intérieurement, parfois d'une voix forte et envahissante, parfois dans un chuchotement à peine perceptible. Mais à certains moments, notre dialogue intérieur prend de l'ampleur, c'est à croire que des humoristes ont assailli notre cerveau devant une salle remplie de spectateurs qui hurlent à s'époumoner. Le dialogue intérieur est ce procédé par lequel nous traduisons nos croyances, nos défauts, nos opinions, nos préjugés et nos jugements en pensées, que nous exprimons intérieurement de maintes façons, en nous adressant à nous-mêmes, à nos proches ou à notre entourage.

Le dialogue intérieur peut être positif ou négatif — mais nous savons par expérience qu'il est presque toujours négatif. Il se tient généralement entre nos deux oreilles, mais peut devenir un torrent de paroles lancées à voix haute — par exemple sur un terrain de golf, souvent durant les joutes sportives, et presque toujours lorsque nous faisons une bêtise.

Qu'il soit intérieur ou que nous le vociférions avec frustration et impatience à notre entourage, notre dialogue intérieur détermine en grande partie l'accueil que nous faisons au changement et à l'expérience de la vie.

Pourquoi le dialogue intérieur est-il un outil si puissant à nos yeux ? Dans le deuxième chapitre, nous avons associé des qualités et des expériences à deux petits mots : « oui » et « non ». Nous avons établi que le oui est synonyme d'ouverture et de légèreté, qu'il est stimulant, joyeux et expansif. Quant au non, il est lourd, étriqué, dur et réducteur. En outre, lorsque nous disons oui, les caractéristiques et les expériences associées à cette réponse deviennent nos complices ; mais quand nous disons non, elles deviennent nos détracteurs.

Les mots, des armes à deux tranchants

Ainsi, certains mots, comme « oui », sont positifs. Il émane d'eux une vibration qui soutient, élève et encourage l'auditeur. Certains mots, comme « non », ont une connotation négative et ont presque toujours pour effet de nous décourager, de nous asservir et de nous détourner de notre expérience de vie. Jour après jour nous employons des milliers de mots — le plus souvent dans notre for intérieur — qui sont négatifs ou positifs. Certains trahissent nos préjugés ; d'autres sont des compliments ou des encouragements. Certains mots éveillent en nous l'ouverture, et d'autres, la fermeture. Certains nous motivent à aller de l'avant, d'autres nous font rebrousser chemin. Certains propos véhiculent le racisme, des insultes et des reproches ; d'autres font l'éloge de la différence et de la diversité. Certains discours nous invitent à l'aventure et à l'ouverture d'esprit, d'autres nous confinent au territoire connu. Mais, par-dessus tout, certains mots nous font hésiter, ou résister, alors que d'autres nous encouragent à dire oui au changement.

Pourquoi tant de baratin autour des mots ? Parce qu'ils sont très importants. Les Écritures nous disent : « Au commencement était le Verbe. » La parole est le son. Or, le son et la vibration sont à l'origine de la vie. Les sons discordants mènent au chaos, à la crise et à l'obstruction. En contrepartie, les sons harmonieux créent l'équilibre, la communion, la fluidité.

Concentrez-vous un instant sur la puissance du son. Songez à un orchestre symphonique qui joue Bach ou Mozart. Pensez aux Beatles ou à d'autres groupes connus pour leurs mélodies har-monieuses. Écoutez le ressac de la mer sur une plage déserte. Portez attention à la nature qui se réveille au petit jour, en pleine campagne. Écoutez maintenant la cacophonie des voitures qui tra-versent la ville en pleine heure de pointe, les concerts de klaxons qui s'ajoutent aux bruits de la construction. Arrêtez-vous devant deux personnes qui se chamaillent ou devant des contestataires qui déferlent dans la rue.

Faites un pas de plus. Songez à un moment difficile de votre vie, récent ou non. Une personne vous a fait un commentaire qui vous a fait bondir ; quelqu'un vous a terriblement déçu ou blessé ; vous avez fait un geste que vous jugez stupide, insensible ou méchant. N'ayez crainte, vous trouverez rapidement. Nous avons tous en mémoire ce genre de souvenirs indélébiles.

Maintenant que vous avez choisi un événement, soyez atten-tif aux mots qui y sont associés. Voyez comme ils sont négatifs. Ils tracent de vous — ou de l'autre — un portrait peu élogieux. Ob-servez les émotions qu'ils suscitent en vous. Elles sont habituellement si fortes qu'il vous suffit de vous remémorer l'événement pour qu'elles vous envahissent à nouveau. Vous aurez sans doute le sentiment de revivre ce moment dans le détail. Et c'est en partie vrai, puisque les émotions ne se vivent qu'au présent. Il importe peu que l'événement soit passé ou à venir : l'émotion se vit ici, maintenant.

Évaluez le pouvoir des mots et la grande intensité des émotions qu'ils génèrent — toujours vécues au présent. Quel est votre bilan ? Des mots négatifs, des émotions négatives pour un présent négatif ? Notez bien cet énoncé : « Écoutez votre dialogue intérieur et imaginez tenir les mêmes propos en vous adressant à vos amis. Vous n'auriez plus un seul ami. »

Maintenant, choisissez un autre événement de votre vie, cette fois extraordinairement heureux — la naissance de votre premier enfant, un baiser, un exploit sportif, ou un succès scolaire. Peut-être s'agit-il d'un moment moins spectaculaire, comme une expérience partagée avec un ami ou un parent, un moment paisible en solitaire. Notez les mots qui vous viennent à l'esprit en vous remémorant cet instant. Ces souvenirs font jaillir des mots et des émotions, notez leur force et leur effet. Des mots positifs, des émotions positives et un présent positif.

Ces deux événements sont diamétralement opposés ; il en va de même pour les mots et les émotions, pour l'effet qu'ils auront sur nous et sur les personnes impliquées dans notre dialogue intérieur. Les sons et les mots positifs nous transportent, nous apportent paix et bien-être, élèvent notre conscience. En revanche, les sons et les mots négatifs sont source de tension, de stress et d'anxiété — et certains guérisseurs affirment qu'ils sont à l'origine des maladies.

Avons-nous réussi à vous convaincre ? Oui, les mots que nous entendons ont un impact important — et plus encore ceux que nous utilisons dans notre dialogue intérieur. Les mots positifs ont un pouvoir transformateur. Par conséquent, notre dialogue intérieur peut être utilisé comme un outil puissant, pour nous et pour les autres. Il peut nous aider à accueillir et à bien gérer les changements qui jalonnent notre vie.

Les lois universelles

Fouillons ce sujet plus à fond. Voici l'énoncé d'une loi spirituelle : « La pensée précède l'énergie, l'énergie précède la manifestation. » Par conséquent, la pensée — que nous exprimons le plus souvent par le dialogue intérieur ou la conversation avec les autres — est liée de près à la définition et à l'apparition de la manifestation physique. Traduite en mots, la pensée met en branle une série d'événements qui mènent à la « réalité physique ». En d'autres termes, notre énergie créatrice façonne le monde dans lequel nous vivons. Ainsi, si vous voulez voir la manifestation d'un désir à la fois positif, constructif, joyeux, puissant, équilibré, bon et précieux, celle-ci doit reposer sur des pensées et des paroles positives, constructives et inspirantes.

Par contre, si vous voulez manifester un désir négatif, destructeur, déprimant, triste, impuissant et instable, vous devez lui donner une fondation tout aussi négative, destructrice, déprimante, etc.

En bref, la fameuse boutade de Henry Ford reste vraie : lorsque vous affirmez « oui, je peux » ou « non, je ne peux pas », vous avez raison dans les deux cas. Que vous optiez pour des visions positives ou négatives, pour des expériences d'expansion ou de repli, vous obtiendrez précisément ce résultat. Vos propos et les pensées qu'ils véhiculent finiront par tracer le portrait de la personne que vous êtes au quotidien. Par conséquent, apprenez à peser vos mots et voyez de quelle manière vous vous exprimez. Surveillez votre dialogue intérieur. Ce sont vos meilleurs outils pour apprendre à dire oui au changement et à une vie plus satisfaisante, proactive et réussie.

Exercices

Ces exercices vous aideront à prendre conscience de votre dialogue intérieur et à le modifier. Si vous les faites assez longtemps, vous aurez une vision claire et précise du lien qui se tisse entre vos paroles et votre réalité personnelle. En outre, ces exercices peuvent changer votre vie si vous les jumelez à ceux du prochain chapitre. Puissent ces mots du chanteur Van Morrison vous inspirer : « J'ai d'abord fait le ménage de mes mots et — surprise ! — il ne restait plus rien à dire. »

1. L'observation est le premier pas, essentiel, vers un dialogue intérieur renouvelé. Comme nous l'avons mentionné maintes fois, c'est aussi l'outil de transformation le plus puissant qui soit. Au cours des prochains jours, portez une attention particulière à vos pensées et à vos propos — dialogue intérieur et conversation avec les autres — lorsque vous parlez de vous-même, de votre milieu de vie et de vos proches. Votre discours est-il positif ou négatif ? Notez s'il y a parfois changement de cap et, si oui, dans quelles circonstances. Écrivez vos observations dans votre journal.

2. Après avoir observé votre dialogue intérieur, repérez les cinq discours les plus fréquents.

Notez les émotions qui s'y rattachent et leur impact sur votre vie. Voici un exemple de dialogue intérieur négatif : «Je suis trop grosse et en très mauvaise forme physique.» Émotions associées : tristesse, colère, frustration. Impact : faible estime de soi, manque de confiance, tendance à laisser tomber ou à s'esquiver.

3. Pour chacun des discours choisis, trouvez un dialogue intérieur plus positif qui neutralise le négativisme du premier. Décrivez les émotions qui jaillissent. Exemple d'un nouveau dialogue intérieur : «Je suis en bonne santé, je m'efforce de me nourrir sainement et d'atteindre mon poids idéal.» Émotions associées : espoir, enthousiasme, joie. Impact : plus grande confiance en soi, gain d'énergie, encouragement à poursuivre dans la bonne direction.

4. Chaque jour, et pour le reste de votre vie, soyez attentif à votre dialogue intérieur, aux pensées et aux paroles qui vous concernent et qui concernent vos proches et votre milieu de vie. Lorsque vous sombrez dans le négativisme, changez vos énoncés pour d'autres, plus positifs. Si vous avez besoin d'encouragement, imaginez-vous sur une scène alors que les spectateurs, nombreux, vous acclament pour votre performance. Entendez ce tonnerre d'applaudissements et ces bravos qui fusent de la salle en délire.

Être précipité hors de nos perceptions habituelles,
être transporté pendant quelques heures indéfinissables
dans les deux mondes intérieur et extérieur,
non pas tels qu'ils apparaissent à celui qui se gave
de mots et de concepts, mais tels que le mental
les appréhende, directement et inconditionnellement.
Voilà une expérience d'une valeur inestimable.
ALDOUS HUXLEY

11

Éliminez les pensées limitatives

Il est possible que vos pensées vous tuent ! Mais oui ! Au rythme de mille mots à la minute et de cinquante mille pensées par jour, il est possible que votre esprit soit à l'origine de votre incapacité à changer, de vos contraintes et limitations, de votre mort précoce et silencieuse. Et comme si cela ne suffisait pas, ce merveilleux serviteur s'est transformé en un tyran qui vous oblige à participer, contre votre gré, à une multitude d'activités, d'événements et de relations.

Nos propos vous semblent alarmistes ? Détrompez-vous ! Scrutons le sujet pour déterminer où se trouve la vérité. Vous connaissez sans doute ce vieil adage : « Formulez bien vos demandes, car vous risquez fort de les obtenir. »

Rappelez-vous brièvement certaines demandes — positives et négatives — que vous avez déjà formulées, comme des fantasmes, des obsessions, des désirs portant sur des personnes, des expériences, des événements ou des biens matériels. Et nul besoin de remonter le cours des ans. La semaine dernière, à quoi rêviez-vous ? Pendant que vous cherchez réponse à cette question, rappelez-vous ceci : « Les pensées donnent naissance aux états de conscience qui, à leur tour, donnent naissance aux manifestations physiques (que nous appelons *notre réalité*). »

S'il est vrai que nos pensées et nos paroles sont en grande partie à l'origine de notre perception du monde, imaginez le pouvoir — et le danger potentiel — d'un cerveau qui carbure à mille mots la minute et à cinquante mille pensées par jour ! Il n'en demeure pas moins que nous nous adonnons allègrement au dialogue intérieur comme s'il s'agissait d'un passe-temps sans conséquence. Et, pour bien faire, voilà que la majorité d'entre nous a perdu la maîtrise de cet outil merveilleux et remarquable : l'esprit. Mal utilisé, trop utilisé, ou bien laissé en friche, l'esprit s'est transformé en un maître tyrannique et indiscipliné. Pourtant, il peut être un outil précieux pour qui désire façonner sa propre destinée.

Notre cerveau refuse l'emploi

Ironie du sort, notre cerveau ne veut rien entendre de cet emploi ! Forcé de combler les vides causés par notre abdication, laissé à lui-même depuis belle lurette, le cerveau fait de son mieux pour gérer la situation. Après tout, quelqu'un doit répondre aux critiques. Or, comme nous n'arrivons pas à utiliser toutes nos capacités spirituelles, émotionnelles, physiques et intellectuelles, notre cerveau a pour mission de combler les lacunes. Hélas, il n'est pas conçu pour remplir cette tâche. Certes, il est merveilleusement doué pour tout ce qui concerne le traitement des informations, mais la pensée est incapable d'éprouver une sensation, une émotion ou une intuition. En fait, la pensée circule difficilement dans le monde de l'intuition, car elle ne peut saisir ou diffuser le langage symbolique de l'esprit et de la passion.

Le cerveau — nous parlons ici du centre de traitement de l'information, à ne pas confondre avec l'esprit, ou la conscience, qui est aux commandes de l'ensemble de notre être — est un instrument de grande précision. À l'instar de l'ordinateur conçu à son image, ses fonctions nous permettent de reconnaître, d'évaluer, de traiter, d'emmagasiner et de mémoriser l'information. Il ne crée pas ces informations, mais il échafaude les suppositions, les hypothèses et les conclusions qui en découlent. En résumé, notre cerveau absorbe, emmagasine, traite, évalue et transmet l'information.

Comme un magnétoscope

On peut aussi comparer le cerveau à un magnétoscope : il reçoit l'information, la stocke, puis nous la renvoie sous forme d'images et de sons. C'est ce que nous appelons la mémoire. Ces sons et ces images éveillent nos émotions et nos sensations qui, à leur tour, font surgir d'autres éléments, d'autres sons et d'autres images. Mais le cerveau fonctionne sans interruption, sans touche « départ » ni touche « arrêt ». Il continuera à émettre ces sons et ces images jusqu'au moment où la bande se rompra — autrement dit, jusqu'au jour où nous serons terrassés par une maladie mentale, par l'amnésie ou la mort. Heureusement, il existe une autre méthode, plus positive, d'enregistrer par-dessus cette information d'autres sons et images choisis avec soin. C'est ce que nous appelons l'apprentissage et la programmation.

Nous voici donc au beau milieu d'une vaste analogie entre ordinateur, magnétoscope, dialogue intérieur et discours négatif. Quel rapport avec la vie des gens ordinaires ? Souvenez-vous que nous avons ouvert ce chapitre avec ce questionnement audacieux :

est-il possible que nos pensées nous tuent ? Notre analogie sert à étayer les faits, à démontrer que, en raison de notre indifférence — consciente ou non —, notre cerveau cherche tant bien que mal à gérer les mécanismes multiples et complexes — physiques, émotionnels, intellectuels et spirituels — qui font de nous des êtres humains. Il tente de s'acquitter de cette tâche avec les seuls talents dont il dispose, à savoir l'emmagasinage et le traitement de l'information.

De plus, le cerveau n'a aucun discernement (hors le pouvoir de refouler certaines pensées et de censurer certaines paroles). Tout comme l'ordinateur et le magnétoscope, il gobe les informations, quels qu'en soient la source et l'impact. Radio, conversation, livre, télévision, film, journal, étiquette de boîte de conserve, affiche, tableau — tout est perçu indifféremment. Le cerveau est disposé à engouffrer toute information transmise par les sens — la vue, l'ouïe, le goût, l'odorat, le toucher — et à la régurgiter sans cesse en la déformant. Le cerveau continuera ce petit jeu, à moins que l'information initiale ne soit profondément modifiée.

Autrement dit, nous sommes tous des réservoirs d'informations et de données fausses ou non pertinentes. Colligées sans discernement au fil des ans, ces informations reposent sur des distorsions, des généralisations et des négations qui portent essentiellement sur ce que nous devons ou devrions faire, et sur ce que nous ne devrions jamais faire. Ces données (rebuts qui entrent et qui sortent) regroupent les idioties et les préjugés sociaux qui nous restreignent et illustrent les dangers qui sont associés au changement chez la plupart des gens. Il y a fort à parier que notre peur vient de là. C'est pourquoi nous restons attachés à un mode de vie étriqué et contraignant, pâle reflet de notre véritable grandeur.

De la contrainte à l'ouverture

Relèverez-vous notre prochain défi ? Il s'agit de reconnaître que vous vivez une vie étriquée, que vous êtes attaché à vos pensées limitatives et envahi par la cacophonie de votre dialogue intérieur négatif. Ce faisant, vous serez à même de passer ensuite à un état fait d'ouverture, de pensées positives et constructives, de liberté d'expression. Les étapes à suivre sont simples. Déjà, vous avez exploré et noté vos croyances et votre dialogue intérieur. Le moment est venu d'accroître votre concentration. Essayez de tout faire en toute conscience. Ne présumez de rien. Observez vos actes, vos pensées, vos paroles. Observez les faits et gestes des gens qui vous entourent de même que leur discours. Laissez se déployer au grand jour ce que vous êtes et ce qu'ils sont. Au début, ne changez rien à ce qui est. Contentez-vous d'observer.

Après un certain temps, expérimentez peu à peu de nouveaux concepts, de nouvelles croyances, et renouvelez votre dialogue intérieur. Abordez différemment les situations habituelles. Changez d'opinion, de façon de vous mouvoir dans le monde ; adoptez un point de vue différent, un comportement audacieux, un autre ton de voix, un discours renouvelé. Faites un geste familier dans un environnement inhabituel. Tout au cours de ces expériences, observez, notez, réfléchissez. Soyez le témoin de la vie.

Lorsque vous aurez fait le tour de la question — quand vous aurez acquis une toute nouvelle compréhension de la vie —, entamez le processus de la « reprogrammation » pour remplacer les pensées et les croyances limitatives qui vous empêchent de vivre pleinement, dans la joie, la satisfaction et la magnificence.

La reprogrammation des croyances

Commencez votre reprogrammation en faisant le bilan de votre vie. Acceptez-vous tel que vous êtes, soyez reconnaissant envers vous-même et vos proches, ayez de la gratitude pour ce que vous possédez et pour ce qui s'offre à vous. Lorsque vous serez bien ancré dans cet état de conscience et ce sentiment de reconnaissance, formulez des énoncés positifs décrivant les situations que vous désirez créer dans votre vie. Ces « affirmations » doivent être formulées à la première personne et au temps présent — souvenez-vous-en : votre esprit ne reconnaît que le moment présent, l'ici et maintenant.

Dans votre affirmation, ajoutez des adjectifs et des adverbes colorés et imagés qui sauront rendre votre projet vivant, joyeux, excitant. Des mots comme *heureux, facilement, merveilleux, rapidement*. Décrivez en détail les termes porteurs, qui éveillent des émotions. Finalement, précisez les détails importants à vos yeux. Vous obtiendrez une affirmation qui pourrait ressembler à : « Je suis joyeuse et je communique facilement avec toi, en ce moment. » Ou : « J'exprime facilement mon amour à toutes les personnes que je côtoie aujourd'hui. » Ou encore : « Je deviens rapidement et facilement une personne plus positive, plus efficace et plus aimante. »

Créez toutes les affirmations qu'il vous plaira, mais nous vous conseillons de travailler avec une seule affirmation importante à la fois. Affichez-la bien en évidence et répétez-la maintes et maintes fois, avec ardeur et enthousiasme. Cet aspect est le plus important — amplifiez l'émotion, mettez-y tout votre cœur. C'est essentiel, car votre inconscient (qui recouvre 88 % de votre psychisme) emmagasine l'information et les souvenirs suivant leur contenu émotif. Donc, si vous désirez que cette partie du cerveau soit entièrement à votre service, mettez du cœur dans vos affirmations.

Rappelez-vous : mille mots à la minute et cinquante mille pensées par jour. De toute manière, vous créez sans cesse des affirmations. La question qui se pose est la suivante : choisirez-vous de créer de nouvelles affirmations positives que vous pourrez contrôler, ou laisserez-vous circuler ces pensées négatives et illogiques, comme vous le faites depuis toujours ?

Si vous choisissez de prendre les choses en main pour devenir l'artisan de votre vie, voici un bon conseil. En ouvrant les yeux le matin, dites vos affirmations en les visualisant. Faites la même chose avant de vous endormir le soir venu. Répétez-les dès que surgit une pensée limitative ou un commentaire négatif. Chantez-les sous la douche. Scandez-les pendant votre jogging. Enregistrez-les pour les écouter dans la voiture ou ailleurs. Transcrivez-les sur des bouts de papier que vous mettrez sur votre miroir, dans votre portefeuille, sur votre bureau ou sur la porte du réfrigérateur. Composez une multitude d'affirmations et cachez-les un peu partout pour que vous puissiez tomber dessus à tout moment.

Fouillez dans les revues afin d'y trouver des mots et des images qui éveillent les qualités recherchées dans vos affirmations. Découpez-les et rassemblez-les. Faites-en un collage que vous consulterez souvent.

Les émotions, une clé essentielle

Soyez tout aussi attentif à d'autres aspects de vous. Exprimez librement vos émotions. Permettez-vous de les célébrer sans les analyser ni les disséquer. Rappelez-vous : pour apprendre à vivre vos émotions dans le présent, il est essentiel de bien respirer. Lorsque vous faites face à un défi important ou que vous ressentez une émotion désagréable, ne cherchez pas à nier ou à refouler vos sentiments ; apprenez plutôt à respirer profondément tout en restant présent à ce qui est. Vous pourrez enfin vivre votre émotion, l'observer et apprendre les enseignements qu'elle cherche à vous transmettre. Votre respiration vous débarrassera des toxines que vous avez accumulées chaque fois que vous avez bloqué une émotion. Vous serez débordant d'énergie et d'enthousiasme.

Explorez vos sensations physiques. Visitez votre corps et partez à la découverte de votre véritable nature, de votre richesse. Affinez vos perceptions corporelles. Faites de l'exercice. Vivez pleinement dans votre corps, intégrez-le à votre vie. Certaines de vos capacités physiques se sont sans doute atrophiées avec le temps. À vous de les régénérer.

En bref, identifiez vos pensées limitatives et retrouvez vos sensations physiques. Pendant cette période, vous serez sûrement enclin à vous juger et à critiquer votre corps et vos aptitudes physiques. Si vous faites preuve de patience et d'honnêteté, vous courez la chance de découvrir une mine d'or, rien de moins. Votre corps a tant à vous apprendre. Il est porteur d'une grande sagesse. Si vous acceptez de l'explorer, vous serez largement récompensé. N'oubliez surtout pas que votre respiration est votre meilleure alliée.

Quant au cerveau, n'hésitez pas à améliorer vos techniques afin d'évaluer la pertinence de l'information qui entre. N'acceptez pas aveuglément toutes les données. Examinez-les avant de les laisser se graver en vous. Cette information est-elle vraie ? exacte ? désirée ? Après tout, vous venez de découvrir combien une information indésirable peut être dommageable. Refusez l'accès à toute information venue d'on ne sait où, sans discernement, déformée ou inexacte, qui pourrait faire obstacle à votre quête du bonheur.

Enfin, plongez avec enthousiasme à la découverte de votre véritable nature. Apprenez à vous connaître, sachez qui vous êtes vraiment. Faites-en votre premier cheval de bataille. Faites-le pour vous. Ne tenez jamais ce qu'on vous dit pour acquis. Faites-vous l'honneur de rejeter toute image négative qu'on projette sur vous. Utilisez-la plutôt à titre d'information pour mesurer votre parcours, et votre évolution, mais n'endossez jamais ces propos comme étant la vérité.

Nous vous invitons à faire un pas de plus pour réduire, voire éliminer votre attachement aux images violentes et aux messages terrifiants véhiculés par les médias. Ces propos déprimants viennent s'ajouter à vos pensées limitatives déjà existantes. Surveillez votre respiration. Voyez si vous êtes plus détendu lorsque vous clouez le bec à tout ce vacarme et à ce négativisme.

Voici l'essentiel : explorez votre monde intérieur, qu'on appelle aussi « pays infini, sans frontières ». Familiarisez-vous avec l'imagerie mentale, la contemplation, la méditation. Vous trouverez une multitude d'ouvrages et de guides sur ces sujets. Passez de l'exploration passive à la découverte active de votre propre évolution, tracez le chemin de votre illumination.

N'hésitez pas. Passez à l'action dès maintenant ! Devenez la personne dont vous rêvez depuis toujours et dites oui au changement.

 Exercices

Si vous les jumelez à ceux du chapitre 10, ces exercices vous seront fort utiles pour vous apprendre à dire oui à votre magnifique vie. Prenez plaisir à vous y adonner. Faites-les souvent, notez vos résultats, et vous ne tarderez pas à constater les changements bénéfiques. Mais attention ! soyez patient si vous entamez un changement majeur, si vous cherchez à modifier un comportement important ou à reprogrammer certaines croyances solidement ancrées. Si vous trébuchez, ne vous en faites pas. C'est le propre de tous les apprentissages. Après tout, ce comportement néfaste ne fut pas intégré en un seul jour, alors prenez le temps voulu pour vous en défaire. Soyez persévérant, ayez confiance en vous, en votre cheminement. Vous découvrirez une véritable mine d'or!

1. Observez vos pensées et vos croyances. Votre dialogue intérieur va bon train? Voyez si ce discours est automatique, s'il repose sur de vieilles croyances, sur des opinions et des jugements négatifs et restrictifs, sur une information non censurée et envahissante provenant de votre entourage.

2. Tout en observant votre dialogue intérieur et les propos qui vous envahissent, identifiez les croyances limitatives qui sous-tendent vos actions et vos pensées. Au besoin, freinez le processus lorsque la pensée ou l'action surgit ou resurgit. Quel en est le stimulus?

3. Identifiez cinq comportements ou caractéristiques que vous désirez modifier, et cinq nouveaux comportements ou caractéristiques que vous désirez acquérir par la reprogrammation.

4. Formulez une affirmation pour chacun des cinq nouveaux comportements ou caractéristiques. Utilisez le «je» et conjuguez vos verbes au présent.

Ajoutez des descriptions positives sur le plan émotionnel. Décrivez uniquement les nouveaux comportements et les caractéristiques recherchés.

5. À tout moment durant la journée, prenez le temps de vous détendre. Fermez les yeux, visualisez vos affirmations et les résultats qui en découleront. Plus vous y mettrez du cœur, plus les résultats seront rapides et spectaculaires. Si la situation le permet, chantez votre affirmation, dansez-la, criez-la, bref, amusez-vous. Au cours de votre démarche, rappelez-vous ce conseil de Napoleon Hill, protégé d'Andrew Carnegie et auteur de *Réfléchissez et devenez riche*: «Tout ce que notre esprit peut concevoir et croire, il est en mesure de le réaliser.»

L'illumination ne consiste pas tant à percevoir des formes lumineuses et des visions que de rendre visible la noirceur !

CARL G. JUNG

12

Trouvez l'équilibre

Dans l'introduction de cet ouvrage, nous avons abordé le thème de notre mode de vie moderne et des défis que nous sommes tous appelés à relever. Nous avons le sentiment d'avancer sur la corde raide, comme des funambules suspendus dans le vide au milieu des vents, des turbulences et des changements sociaux, technologiques et culturels. Nous les affrontons sans le moindre filet pour nous protéger.

Poursuivons cette analogie mais, cette fois, posons un nouveau regard sur les choses. D'accord, nous vivons sur la corde raide, mais oubliez un peu le danger et songez plutôt à l'excitation ; oubliez les obstacles et la résistance et songez à tous ces trucs auxquels nous pouvons avoir recours afin de maintenir et d'améliorer notre équilibre et de dire oui au changement. Car dans ce monde physique où règnent les lois de la dualité et des contraires, la vie a ceci de remarquable : l'ombre prend sa source dans la lumière. Quelle bonne nouvelle ! Dès que nous admettons que, là où il y a ténèbres, il y a forcément source d'illumination, notre tâche devient limpide. Chercher la lumière, voilà notre seul défi, notre véritable oasis.

Quel rapport avec l'analogie du funambule ? Prenez un moment pour faire de la visualisation. Imaginez-vous, revêtu d'un costume farfelu et coloré, portant un collant aux couleurs vives. Vous saluez les spectateurs avant d'entamer la montée d'une longue échelle menant à une corde suspendue. Là-haut, vous êtes sous les feux des projecteurs. Goûtez un moment aux applaudissements et aux encouragements de la foule. Sentez l'énergie circulant dans votre corps, respirez profondément et appréciez l'excitation qui vous envahit en raison de la peur. Voyez comme elle vous tient en alerte, prêt à relever le défi qui s'offre à vous.

Du haut de la plate-forme, jetez un coup d'œil en bas, sur les visages attentifs de tous ces gens qui vous observent. Votre champ visuel rétrécit et les bruits de la foule s'estompent. Que voyez-vous ? Droit devant vous, la corde tendue en plein ciel. Vous entendez votre souffle qui entre et qui sort, votre cœur qui bat.

Soudain, ce vaste chapiteau vous semble petit et calme, un lieu presque intime. Vos pulsations cardiaques ralentissent. Toute votre attention est maintenant rivée sur cette corde. Fort de toutes vos heures d'entraînement, des soins apportés à votre préparation, de la qualité de l'équipement, vous sautez à pieds joints sur le câble suspendu.

Arrêtez-vous à cette image et posez-vous cette question : quelles sont les qualités nécessaires pour marcher sur cette corde raide et atteindre l'autre extrémité ? Clarté. Attention. Concentration. Force. Talent. Volonté. Confiance. Oui, toutes ces qualités sont précieuses. Vous pouvez également compter sur les aptitudes que vous avez développées pendant vos longues heures d'entraînement, sur le soin porté aux détails de votre performance, sur la qualité de votre matériel et de votre condition physique et émotionnelle.

Outre ces multiples qualités, un dernier élément vous sera essentiel pour évoluer sur cette corde raide. Pour atteindre l'autre plate-forme, vous aurez besoin d'équilibre.

La présence, seule clé de l'équilibre

Comment garder l'équilibre ? Voilà LA question ! Ce livre, comme tant d'autres, cherche à y répondre. Cette question vous ramène d'ailleurs à vouloir dire oui au changement. En fait, nous croyons que cette seule quête de l'équilibre est l'enseignement fondamental que nous sommes venus chercher sur terre.

Notre expérience professionnelle nous porte à croire que le maintien de l'équilibre repose sur notre capacité à demeurer présents à ce qui est. Mais il n'est pas facile de demeurer présent. Nous vivons dans un monde qui nous incite à sauter avant de regarder. Un monde de distraction. Un monde qui nous encourage à abandonner les valeurs fondamentales, par exemple la discipline, l'ardeur au travail, la concentration et l'engagement, pour valoriser plutôt les solutions rapides, les amours d'un soir et les gratifications spontanées. Nous vivons dans un monde qui fait l'éloge de la superficialité et du raccourci. Dans ces conditions, qui a le temps de s'adonner à des préparatifs, de prendre en considération tous les efforts requis ? Qui a le temps de faire cette lente et parfois douloureuse démarche qui va de la conception à la réalisation d'un objectif ?

En fait, tous les passe-temps et les loisirs, toutes les activités qui ont la cote de nos jours favorisent la distraction et l'inconscience. Par conséquent, nous vaquons à nos occupations quotidiennes avec moins de préparation, moins de confiance et moins de présence qu'il ne le faudrait. Tout est source de distraction. En outre, nous passons plus de temps à nous inquiéter du passé ou de l'avenir qu'à vivre le moment présent. Pourtant, tous les sages répètent cette vérité : le passé n'est rien de plus qu'un présent mort et enterré, le futur est un présent pas encore advenu, et tous nos pouvoirs résident dans le moment présent, nulle part ailleurs. Nous poursuivons tout de même notre chemin sans nous rendre compte que nous sommes partout à la fois, sauf ici, dans l'instant présent.

Et l'équilibre dans tout cela ? Reprenons notre visualisation du funambule. Action ! Imaginez maintenant que vous avancez sur la corde raide. Quelles seraient vos chances d'atteindre l'autre extrémité si vous manquiez de concentration, si vous songiez à ce que vous venez de vivre — votre arrivée sur la plate-forme ou votre ascension de l'échelle — ou à ce qui vous attend ? Comment vous concentrer pleinement sur chacun de vos pas si, en même temps, vous songez à vos nombreuses séances d'entraînement, à la qualité de l'équipement, à l'état du câble ?

Il en ira de même si vous êtes trop tendu, trop rigide, trop concentré sur vos pieds ou sur de menus détails plutôt que sur l'ensemble de la situation. Et si vous empoignez la barre avec trop de fermeté, vous risquez de perdre l'équilibre.

L'équilibre est atteint grâce à un ensemble de facteurs — bien répartir le poids, être détendu et conscient de tout ce qui se passe sans s'attarder à un aspect particulier. Pour atteindre l'équilibre, vous devez respirer profondément afin de rester présent et conscient. Votre souffle maintient le lien entre le corps, le cœur et l'esprit, qui peuvent ainsi fonctionner comme un tout.

L'équilibre est aussi le fruit de la pratique et de l'expérience. Vous atteignez l'équilibre grâce à votre discipline et à votre persévérance dans l'effort, grâce à votre capacité d'appréhender l'inconnu. Il faut vouloir courir des risques, ouvrir votre cœur et votre esprit à la nouveauté, dire oui aux transitions, aux changements et aux merveilles que la vie vous offre généreusement.

Acceptation et gratitude

L'équilibre, c'est aussi accepter les choses telles qu'elles sont, ces aspects que vous respectez et admirez en vous et chez les autres, mais c'est également refuser les croyances limitatives, les dialogues intérieurs négatifs, une tendance à répondre non plutôt que oui, et bien d'autres comportements que nous avons déjà abordés.

La vérité, c'est que tous ces aspects, tant positifs que négatifs, sont précieux, sans exception. Si vous parvenez à les accepter, à les intégrer et à retenir les enseignements qu'ils vous réservent, ils deviendront vos meilleurs complices tout au long de cette démarche. Vous, le funambule, ne courriez jamais le risque d'avancer sur la corde raide sans avoir pris soin d'un muscle endolori ou d'une cheville blessée. Vous ne risqueriez pas votre vie sans avoir un long entraînement et un équipement sécuritaire. Il en va de même de votre voyage sur l'océan de la vie. Ne vous lancez pas dans cette aventure sans avoir pris conscience de vos forces et de vos faiblesses émotionnelles, mentales et spirituelles. Comme l'affirmait Gandhi : « Mes imperfections et mes échecs sont une bénédiction de Dieu, au même titre que mes succès et mes talents ; je les dépose tous à ses pieds. »

Nous pourrions développer cette analogie, mais vous avez saisi. L'équilibre est un élément essentiel. Vital. Grâce à l'équilibre, nous pouvons dire oui au changement en toute confiance. Il nous permet d'atteindre l'autre extrémité de la corde raide.

Les ressources matérielles et financières

Pour mesurer l'importance de l'équilibre dans l'atteinte de vos objectifs, il serait bon de vous rappeler un certain nombre d'éléments. Dans le premier chapitre, il était question de « commencer par le

commencement ». Avant d'entreprendre un périple quelconque
— avancer sur une corde raide, vers une nouvelle carrière ou vers
une nouvelle relation amoureuse —, vous devez comprendre vos
motivations profondes (votre vision), tracer votre parcours (votre plan
stratégique), identifier les comportements que vous désirez acquérir (vos valeurs fondamentales), et trouver les ressources et les gens
qui vous aideront et vous encourageront dans votre démarche.

Dans le troisième chapitre, nous avons souligné l'importance
de vous doter de solides assises, car votre santé physique, spirituelle, émotionnelle, mentale et financière est indispensable pour
vous permettre d'opérer les changements désirés ou nécessaires.
Voyons plus en détail quelles sont les ressources qui vous seront
utiles dans l'atteinte de vos objectifs.

Dans cet ouvrage, nous ne traiterons pas en profondeur de planification financière. Vous trouverez en librairie une multitude
d'ouvrages sur le sujet. Mais nous désirons attirer votre attention
sur l'importance de vous construire une bonne assise financière
et matérielle. Faites-en un élément essentiel de votre plan stratégique pour la réalisation de votre projet de vie.

Cela ne signifie pas que tout repose sur vos ressources finan-
cières et matérielles ni que votre capacité à gérer le changement
en dépende, encore moins que la réussite de votre vie doive se
mesurer à la somme de vos avoirs. Cette valeur peut être cruciale
aux yeux de certains, mais non aux vôtres.

Nous voulons simplement vous rappeler que nous vivons dans
un monde matériel. Peu importe nos intérêts et nos efforts, peu
importe notre but ultime — la retraite ou l'illumination —, une
bonne gestion de nos biens et de notre argent nous permet de garder l'équilibre tout au long de notre parcours. Plus nous saurons
nous montrer intelligents en ce domaine, plus nous pourrons nous
concentrer sur le présent et sur les occasions favorables.

Donc, soyez averti, sachez répondre à vos besoins pour atteindre votre objectif. Étudiez tous les scénarios qui vous permettraient d'obtenir ces ressources de manière positive. Les uns voudront dresser un plan afin de rassembler la somme désirée. Les autres devront placer leur confiance dans l'Univers pour se convaincre qu'ils seront soutenus s'ils font leur part. Certains devront agir de manière plus pragmatique : lancer leur entreprise, inviter leurs proches à investir dans leur rêve, ou créer un programme d'échanges de services avec des gens désireux de les soutenir. D'autres devront épargner la somme désirée, ou mettre à profit leurs talents afin de générer un revenu d'appoint.

Ce qui importe, c'est de comprendre l'importance d'avoir les ressources nécessaires — les idées, les biens, les talents, les épargnes, les contributions, les investisseurs et l'argent — pour garder l'équilibre et dire oui au changement.

 Exercices

Ces exercices vous aideront à trouver et à garder l'équilibre dans tous les domaines de votre vie.

1. Parler d'équilibre, c'est bien ; en faire l'expérience, c'est mieux. D'abord, faites cet exercice : levez-vous, marchez dans la pièce ou dehors et exercez votre équilibre. Soulevez un pied en maintenant les yeux ouverts, puis fermés. Levez les bras devant vous, puis de chaque côté. Répétez l'exercice, cette fois en marchant sur une ligne droite, un pied devant l'autre, comme un funambule. Recommencez en tendant tous vos

muscles. Cette fois, ne regardez pas où vous mettez les pieds. Continuez cet exercice en modifiant constamment quelque chose. Observez vos réactions et notez-les.

2. Passez en revue votre vie. Notez les domaines qui représentent un défi pour le maintien de votre équilibre. Relisez cette liste et voyez quelles sont les croyances limitatives qui s'activent. Normalement, votre dialogue intérieur devrait se mettre en branle. Observez. Voyez si vous portez des jugements sur vous-même ou les autres. Prenez des notes dans votre journal.

3. Dressez la liste des domaines de votre vie où il vous est facile de maintenir votre équilibre.

4. Comparez les deux listes et remarquez les différences. Quelle liste est la plus longue ? Trouvez des points communs entre les éléments des deux listes et rassemblez-les sur une autre liste. Encore une fois, si des jugements et des critiques surgissent, notez-les, de même que vos acceptations.

5. Énumérez les deux ou trois domaines de votre vie qui, à vos yeux, ont besoin d'équilibre. Dans la marge, inscrivez les actions que vous désirez entreprendre pour rétablir l'équilibre dans chacun de ces secteurs.

6. Respirez profondément. Visualisez chacun de ces domaines de votre vie. Imaginez-vous évoluant en harmonie et en équilibre. Entrez dans cette sensation d'équilibre, notez les sons, les images et les impressions qui surgissent. Lorsque des jugements ou des critiques surviennent pour contrer ces qualités que vous cherchez à développer, acceptez-les et respirez profondément. Voyez la beauté et la perfection dans tout ce que vous êtes. Sentez l'équilibre et l'harmonie qui s'installent en vous.

7. Enfin, prenez une résolution. Notez d'abord où se trouve votre équilibre, dans quels domaines de votre vie — spirituel, émotionnel, mental, physique, financier, etc. — il se manifeste davantage. Offrez-vous ce cadeau : créez un plan d'action pour rassembler les talents, les ressources et le soutien nécessaires pour établir l'équilibre dans tous ces domaines. Nous vous le garantissons : ces efforts vous seront remis au centuple. Ce sera le meilleur investissement de votre vie.

La sagesse commence par une ferme emprise sur l'évidence.

Anonyme

13

Évitez toute généralisation, omission ou distorsion

Trois façons de penser et de communiquer sont particulièrement néfastes. Elles font obstacle à tout changement et, souvent, nous déstabilisent. De plus, ces comportements nocifs nous poussent à éviter ou à saboter notre but ultime dans la vie. Par conséquent, il est impérieux de trouver des moyens efficaces d'éliminer ou de restreindre ces comportements négatifs si nous voulons nous ouvrir au changement, prendre notre vie en main et réussir. Ces attitudes nocives sont la généralisation, l'omission et la distorsion.

Nous « généralisons » lorsque nous décrivons un objet, une personne ou un événement en appliquant ses caractéristiques à l'ensemble d'un groupe. Nous ratissons large, tant et si bien que notre description englobe à peu près tout, sans exception. Pour commettre ce qu'on appelle le « crime de la généralisation », nous utilisons des termes comme « tout », « chaque » et « jamais ».

« Omettre » un fait, c'est l'ignorer. Souvent, nous agissons ainsi au cours d'une conversation, lorsque nous sautons d'un point à l'autre en « oubliant » certaines informations. Notre vis-à-vis nous regarde, perplexe, et se questionne. Or, cette omission contient souvent l'élément clé ou l'enjeu véritable, la difficulté ou le problème que l'interlocuteur tente — consciemment ou non — de cacher ou d'oublier. On comprend alors pourquoi l'omission se présente en premier lieu.

Une « distorsion » est une exagération par laquelle on cherche à contrôler l'impact de l'objet, de la personne ou de l'événement en cause. Par conséquent, on tente d'en diminuer ou d'en augmenter l'importance, la nécessité, l'effet, etc.

Lorsque nous utilisons ces trois stratagèmes, notre communication est inefficace. Nous peignons la réalité en termes vagues et généraux, nous taisons certains éléments essentiels et nous exagérons les faits que nous désirons mettre en relief. Résultat : nous abandonnons le fil qui nous aurait conduits à la vérité, nous masquons la réalité et nous perdons l'équilibre.

Derrière la façade de la confusion

Généralisation, omission ou distorsion. Ces comportements peuvent sembler anodins comparativement aux crimes odieux que les humains s'infligent les uns aux autres. Pourtant, ces trois armes sont extrêmement néfastes et nous les utilisons dans le seul but de ne pas assumer l'entière responsabilité de notre vie.

Si vous utilisez la généralisation, l'omission et la distorsion, alors il est temps de briser le voile de la confusion, des propos vagues, des demi-vérités et des boutades. Cette forme de manipulation vous freine et vous emprisonne. Depuis des siècles, il est vrai que ce jeu est utilisé, célébré et glorifié par l'ensemble de la société, néanmoins il s'agit d'un jeu mortel qui maintient les joueurs dans un état de faiblesse et d'inaptitude avancée. La confusion et le flou, le manque de direction et d'orientation, l'exagération et la réduction mènent tous à une idée fixe : la vie est statique, le changement est à éviter et la médiocrité de notre vie est tout à fait acceptable.

Vous désirez mettre un terme à ce qui limite votre vie ? Il est maintenant inacceptable, à vos yeux, de résister au changement et d'ignorer votre valeur ? Alors, cessez toute généralisation, omission et distorsion ; assumez-vous pleinement, tel que vous êtes. Cessez d'ignorer la vérité et commencez à célébrer votre pouvoir et votre splendeur. Cessez d'éviter les vraies choses de la vie et donnez-vous le droit de réaliser vos rêves. Commencez à dire oui au changement.

Comment procéder ? Dans un premier temps, rayez de votre vocabulaire des mots comme « tout », « chaque », « jamais » et « toujours ». De plus, éliminez de votre liste le mot « mais » car, trop souvent, il équivaut à appuyer sur la touche « effacer » de votre ordinateur. Il vise à faire disparaître ou à masquer tout ce qui a précédé. Remplacez « mais » par « et ». Le mot « et » joue un double rôle : il crée un lien et donne une permission. Il permet aux messages — passés et à venir — de demeurer dans la conscience des deux interlocuteurs.

Ensuite, utilisez plus de noms que de pronoms dans votre discours. Les pronoms sont fort utiles, mais ils sont plus efficaces lorsqu'ils suivent l'emploi du nom. Par conséquent, insérez un nom dans chacune de vos phrases. Par exemple, ne dites pas : « Ils ont eu l'audace d'annuler les élections. » Dites plutôt : « Les juges de la Cour suprême ont eu l'audace d'annuler les élections. » Le message est plus clair.

Enfin, si vous désirez apporter plus de rigueur dans vos rapports avec les autres, modifiez vos énoncés. Utilisez des adjectifs qui sauront accentuer et préciser la signification des noms employés dans vos phrases. Mais attention ! on utilise souvent les adjectifs pour faire de la distorsion. Soyez vigilant. Évitez les qualificatifs visant à minimiser ou à exagérer la portée d'un mot ; choisissez ceux qui sauront apporter des détails utiles, créer une ambiance, nuancer des humeurs ou des sentiments — des qualificatifs qui véhiculent une plus grande compréhension, des émotions, la vérité.

Ces exercices semblent anodins, mais ils sont plus difficiles à mettre en pratique qu'il n'y paraît. C'est le prix à payer pour vivre une vie plus riche, plus satisfaisante, plus équilibrée. Si vous désirez embrasser la vie plutôt que d'y résister, cessez l'emploi de toute généralisation, omission et distorsion. Vos efforts seront récompensés.

 Exercices

Voici des exercices qui sauront vous aider à réduire, puis à cesser toute généralisation, omission et distorsion.

1. Au cours des prochains jours, observez vos communications avec les autres et votre dialogue intérieur. Chaque fois que vous tomberez dans un de ces trois comportements (généralisation, omission et distorsion), prenez note des circonstances et des personnes présentes. Ensuite, identifiez vos habitudes. (Exemple : vous utilisez la généralisation plus souvent à la maison qu'au travail. Avec votre patron et vos amis, vous vous servez davantage de la distorsion.) Laissez apparaître vos comportements habituels et notez-les.

2. Le deuxième exercice consiste à mettre en pratique les trois suggestions énoncées dans ce chapitre : réduire ou rayer de votre vocabulaire les mots « tout », « chaque », « jamais » et « toujours » ; utiliser uniquement des pronoms en référence à un nom précis ; employer des adjectifs qui sauront apporter à votre interlocuteur une meilleure compréhension du message.

3. Soyez vigilant et restez en contact avec vos émotions lorsque vous cessez d'utiliser la généralisation, l'omission et la distorsion. Avez-vous le sentiment de courir des risques ? Lorsque vous vous sentez vulnérable, notez-le. Soyez aussi attentif à ces moments où vous vous sentez rempli de confiance, d'énergie, de motivation.

Tout ce que notre esprit peut concevoir et croire,
il peut le réaliser.
Napoleon Hill

14

Explorez le lâcher prise

Comme nous l'avons vu, notre incapacité à dire oui au change-ment nous incite à nous restreindre au point de mener une exis-tence étriquée. Limites et résistances, nous connaissons ! Ces terrains nous sont familiers. Après tout, nous y avons grandi. Nous évoluons à notre aise dans ces lieux et nous aimons vivre selon les règles et les conditions qui y ont cours. Mais nous avons un petit problème. On dit que « la familiarité conduit au mépris », et c'est vrai, mais elle mène aussi au cynisme, au doute et, éventuellement, au malaise et à la souffrance. Pis encore : lorsque nous nous limitons afin de résister au changement, nous sabotons notre droit au succès, au pouvoir personnel, à la satisfaction et à l'équilibre dont nous rêvons pourtant.

Il est intéressant de noter que ces limitations nous semblaient plutôt sans conséquence lorsqu'on nous les a présentées. En fait, elles ressemblaient à ces vertus que sont la décence, le droit à la propriété, le respect de l'autre et les droits sociaux.

Ces qualités sont valables, entendons-nous bien. Elles tiennent lieu de règles et de principes fondamentaux essentiels au bon fonctionnement de notre société. Toutefois, lorsque ces règles deviennent trop rigides et trop présentes, elles nous handicapent et nous privent de notre liberté, de notre pouvoir personnel et de notre volonté de changer.

Vérifiez-le par vous-même. Par exemple, à quel moment vous a-t-on expliqué, pour la première fois, ce que devrait être le comportement d'un « bon garçon » ou d'une « bonne fille » ? Combien de fois vous a-t-on sermonné ou puni pour avoir enfreint ces règles ? À combien de reprises vous a-t-on demandé de vous adapter, de vous conformer et de respecter ce qu'on appelle une « bonne attitude » ? Et combien de fois avez-vous baissé les yeux en écoutant le discours d'un parent, d'un prêtre, d'un enseignant ou d'un tuteur vous enjoignant de devenir un « meilleur garçon » ou une plus « gentille fille » ?

Mille fois, sans aucun doute ! On vous l'a suffisamment répété pour vous inciter à adopter certains de ces principes, certaines de ces vertus et de ces valeurs. Et, comme la société vous renvoyait une image positive de vos choix, vous les avez presque tous adopter au fil du temps.

Des roues d'apprentissage

Nous le répétons : ces valeurs sociales et ces principes fondamentaux sont, à nos yeux, fort importants. Ils nous permettent d'évoluer positivement au sein de la grande famille humaine. En fait, on nous transmet ces valeurs au cours de l'enfance et on peut les comparer à ces petites roues d'apprentissage qu'on fixe à une bicyclette pour aider l'enfant qui apprend à rouler. À l'instar de ces petites roues, ces valeurs nous permettent d'apprendre en toute sécurité et de prendre confiance en nous.

Toutefois, si ces outils d'apprentissage restent fixés à jamais, si on nous oblige à les utiliser et même à en abuser, ils cessent d'être utiles et peuvent même devenir aliénants. Si vous voyiez passer un homme chevauchant une bicyclette munie de petites roues d'apprentissage, comment réagiriez-vous ? Vous concluriez sans doute que cet homme est en période d'apprentissage, sans quoi il ne serait pas sérieux !

Ces exemples vous semblent ridicules ? En vérité, nous sommes nombreux à nous imposer de pareilles restrictions. Nous trépignons d'impatience et d'excitation à l'idée de maîtriser notre vie, mais nos petites roues d'apprentissage sont toujours fixées à notre véhicule. Ces petites roues correspondent à nos croyances relatives à « qui je suis », à « ce que je peux faire » et à « ce que je ne peux pas faire » ; elles nuisent à tout changement. Aussi longtemps qu'elles reste-ront en place, elles nous empêcheront de filer à toute vitesse sur la route de notre vie.

Alors, que faire ? Notre société semble imposer et glorifier certains comportements et, disons-le franchement, nous sommes fiers de nous y conformer et d'en être récompensés. Ces règles nous offrent une direction utile. Grâce à elles, nous sommes à l'aise ; nous connaissons notre rôle et nous savons comment agir en société. Tant que nous pouvons prévoir le comportement de l'autre, le monde nous semble familier et sécuritaire. Par exemple, la majorité des gens savent que, dans nos communications, l'arrogance et l'interrup-tion sont mal perçues et nous discréditent. Nous avons donc appris à nous contrôler et à modifier nos comportements pour obtenir l'approbation de notre entourage.

Les règles et les comportements acquis sont à la source d'une autre situation bien connue : nous éprouvons un malaise chaque fois qu'une personne semble mieux outillée que nous et qu'elle connaît à fond les règles et le jeu. Cette croyance nous sert d'excuse

pour éviter de courir des risques, de nous engager ou de vivre pleinement notre vie.

Intéressant, non ? Peu importe notre choix — confort ou malaise,
acceptation ou rejet —, le résultat est le même : limite, restriction
et déséquilibre. Pour compliquer un peu les choses, nous trans-
mettons nos erreurs aux générations qui suivent. Les personnes
qui excellent à ce jeu — confort/malaise, acceptation/rejet —
l'enseignent à leurs enfants et à leurs petits-enfants. Ainsi, ces
valeurs dites « sociales » se perpétuent avec le temps, de même que
les limites, les restrictions et les déséquilibres qui en découlent.

Les sages sont nos guides

Heureusement, nous avons une autre option. On attribue à David
Ogilvy, grand guru de la publicité, cette citation : « Les règles sont
faites pour guider les sages et pour faire obéir les idiots. »

Si vous évitez à tout prix le changement dans votre vie et que
vous restez confiné à ce que vous connaissez, il est temps de revoir
vos règles et vos croyances. Après tout, le sens de la propriété, les
bonnes manières et les principes sociaux ne sont rien de plus que
des outils conçus pour vous aider à vivre confortablement. Ce ne
sont pas des lois absolues, mais des normes relatives qui diffèrent
au gré des sociétés, des époques, des traditions culturelles et des
lieux géographiques. Au bout du compte, ces lois ne sont rien de
plus que des lignes directrices. Rien à aduler, rien à encenser. Et
surtout rien qui justifie le sacrifice de notre liberté et de notre bien-
être. Autrement dit, évitons de suivre ces règles comme si elles nous
avaient été soufflées à l'oreille, directement par Dieu, pour que nous
les inscrivions à jamais sur la pierre.

En fait, lorsque nous les examinons de près, ces règles peuvent
nous paraître ridicules et sans intérêt. Par exemple, croyez-vous

réellement que Dieu tienne mordicus à vos jambes croisées ou à votre visage rasé de frais ? Croyez-vous que l'Univers soit offensé lorsque vous portez une minijupe, lorsque vos cheveux sont ébouriffés, que votre fermeture éclair est ouverte ou que votre visage est sale ? Madame, êtes-vous persuadée que vous n'irez jamais au ciel si vous déambulez dans la rue sans soutien gorge, si vous n'en voyez pas cette carte de remerciements, si vous portez un anneau dans le nez, si vous aimez jouir en solitaire ?

Ces gestes de politesse et de courtoisie, ces comportements sociaux vous permettent de vivre dans un monde un peu civilisé et ordonné, voire familier, mais ils ne participent aucunement à votre évolution, à l'essentiel de votre vie. N'en soyez pas les esclaves dévoués, car le prix à payer est mirobolant — une vie étriquée, limitée.

Apprenez à dire oui au changement, à dépasser vos contraintes et vos restrictions, et faites l'expérience de la liberté et de la spontanéité. Pour ce faire, vous devez modifier vos habitudes. Peut-être devrez-vous transgresser les frontières établies par vos règles et vos lignes directrices, par vos limites et vos restrictions. Apprenez à vous connaître réellement. Vous aurez sans doute à vous tenir nu, devant le miroir de votre vie, et à vous regarder bien en face. Vous ! Uniquement vous, sans maquillage ! Sans rentrer le ventre, sans gonfler les muscles. Sans culotte de raffermissement, sans soutien-gorge pigeonnant. Sans prétention. Sans courtoisie. Sans détourner le regard. Seulement vous, sous les projecteurs de votre vie, débarrassé de vos croyances sur le bien et le mal, de vos jugements sur ce qui fut et de vos attentes sur ce qui sera. Juste vous — sans artifice, sans déni, dans toute votre originalité.

Le miroir de la conscience

Oui, vous devrez vous regarder de près et en toute objectivité dans le miroir de votre conscience afin d'explorer, sans doute pour la première fois de votre vie, la profondeur de votre être et vos véritables aspirations.

Pour ce faire, vous devez prendre votre vie à bras-le-corps et partir à la conquête de vos désirs, petits et grands. Vous avez déjà mis l'épaule à la roue au chapitre 8. Maintenant, votre défi consiste à aller jusqu'au bout de chaque désir, pour l'explorer, le comprendre, puis le déclarer désuet ou comblé. Allez-y, utilisez tous vos sens, sentez, touchez, voyez, entendez et célébrez chacun de vos désirs. Sentez votre soif et votre besoin, puis allez plus loin et tentez de sentir votre amour dans cette marche vers votre désir. Il est peut-être possible d'aller au-delà de cet amour. Peut-être atteindrez-vous ce lieu de détachement, encore plus profond et plus aimant. Mais ne trichez pas. Et n'abandonnez jamais avant d'avoir parcouru le chemin menant à chaque désir. Comblez ce besoin. Puis lâchez prise. Ne vous inquiétez pas, vous saurez déterminer le moment où tout est fait. Les mots « assez » ou « terminé » s'imposeront d'eux-mêmes. Mais ne laissez pas tomber, pas même une seconde avant de recevoir ce signe. Allez jusqu'au bout et sentez le bonheur de pouvoir dire : « C'est terminé. »

Nous ne parlons pas uniquement de désirs sensuels ou sexuels. Nous parlons de tous les désirs — vouloir lire un ouvrage, courir dix kilomètres, jouer de la flûte, peindre, coudre une robe, enseigner à danser à un enfant ou mettre sur pied une multinationale. Peu importe le désir. Devenez ce désir, explorez-le jusqu'au bout. Commencez par une visualisation et faites le tour de tout ce qui s'y rattache, et ne vous arrêtez que quand ce désir est satisfait. À un moment donné, vous sentirez dans votre corps cette sensation de plénitude qui signifie : « Terminé. »

Chaque jour, choisissez un désir et abandonnez-vous complètement à votre quête. Aucune restriction. Aucune limitation. Faites taire les « je ne devrais pas » et toutes les courtoisies sociales qui vous entravent. Maintenant et pour toujours, dites oui au changement et laissez la vie se déployer sous vos yeux. Abandonnez vous, reposez vous en vous même, découvrez la merveilleuse sensation que vous procure votre pouvoir personnel, le fait d'être tel que vous êtes — disponible, réceptif, ouvert. Accueillez la vie et son cortège de transitions et de mouvances !

Si cet exercice porte des fruits, pourquoi ne pas l'inclure à votre quotidien ?

Voici une dernière suggestion. Partir à la conquête de soi en période de transition ne veut pas dire se montrer insensible, froid, cruel, dur ou blessant envers les autres. Il s'agit plutôt de vous appliquer à étudier vos conditionnements acquis pendant l'enfance, de faire la part des choses entre ce que vous voulez ou non, entre ce qui vous convient et ce qui vous nuit. Cette quête positive et consciente vous fera apprécier la grâce et le pouvoir qui résident dans le lâcher prise.

 Exercices

Les exercices qui suivent vous aideront à lâcher prise.

1. D'abord, reprenez votre liste de désirs élaborée au chapitre 8. Passez-la en revue et voyez si certains d'entre eux méritent d'être abandonnés ou si vous devez en ajouter de nouveaux. Ensuite, choisissez sept désirs parmi les plus importants

et les plus positifs. Dans votre journal de bord, faites une description très détaillée de chacun de ces sept désirs.

2. Vos descriptions sont maintenant terminées. Fermez les yeux et visualisez chacun de vos désirs, à tour de rôle. Laissez-vous emporter par les émotions qui surviennent lorsque vous songez à ce désir. Quelle que soit la situation ou la personne impliquée dans ce désir, goûtez au plaisir dans le confort et la sécurité de votre imaginaire. Ouvrez les yeux et prenez quelques notes.

3. Chaque jour, choisissez un désir. Explorez-le tout au long de la journée, abandonnez-vous à ce plaisir. Évidemment, certains désirs ne peuvent se réaliser qu'à long terme et non en un seul jour. Mais commencez votre marche vers la réalisation de ce désir, faites un pas, un geste dans ce sens. Dans certains cas, il est possible que votre désir ne vous semble pas assez inspirant ou constructif pour vous ou pour vos proches ; à vous d'en juger, tout est affaire de choix personnel. Le moment est venu de vous tourner vers l'intérieur et de vous questionner sur vos véritables passions, de découvrir quelles sont les choses, les actions, les relations et les expériences qui ont véritablement de l'importance à vos yeux. C'est le moment d'écouter cette « paisible petite voix » qui vient de l'âme, de vous laisser guider par elle.

4. Le dernier exercice consiste à demeurer vigilant et à suivre nos suggestions tout au long de la journée. Entrez dans le jeu et observez-vous. Restez en contact avec vos émotions. Voyez les résultats. Soyez honnête et, surtout, ayez confiance. Et chaque fois qu'un de ces vieux comportements ou qu'une de vos restrictions habituelles se montreront le bout du nez, lâchez prise!

Celui qui se connaît réellement connaît toute chose.

ANONYME

15

Explorez vos côtés masculin et féminin

Depuis l'aube des temps, nous considérons que « l'autre sexe » est différent de nous. Nous l'avons toléré ou désiré, pleuré ou congédié, contrôlé ou manipulé. Nous avons ressenti la peur ou le dédain, la sensualité ou la douleur. Avec l'autre sexe, nous avons argumenté, fait des compromis, fusionné. Nous l'avons fui, condamné ou concurrencé. En bref, nous avons traversé une mer d'émotions et d'expériences avec notre vis-à-vis. Et même si nos relations avec l'autre sexe furent passablement agréables et empreintes d'amour, jusqu'à un certain point il restera toujours un étranger, un inconnu.

Mais restent l'attirance, l'interaction. Comme des siamois, nous sommes constamment attirés dans une spirale d'interdépendance mutuelle. Certaines personnes sont d'avis que ces principes ne s'appliquent pas aux homosexuels, mais nous retrouvons habituellement dans tous les couples — quelle que soit l'orientation sexuelle — les mêmes règles et les mêmes confusions. Dans tous les cas, les rôles masculins et féminins sont tenus par l'un ou l'autre partenaire.

Et alors ? demandez-vous. Ce discours sur la différence des sexes n'est-il pas une évidence ? Et quel est le lien entre ces propos et le changement pour une vie satisfaisante ? À notre avis, ce sujet revêt une grande importance, car les règles ont changé et nos rôles respectifs aussi — à la maison, au travail et dans le monde entier. Par conséquent, bien que ce discours vous semble évident, il serait sage d'approfondir la question.

L'artisan de sa propre vie

S'il est vrai que chacun est l'artisan de sa propre vie, pourquoi avons-nous élaboré un scénario à deux personnages, avec un rôle pour une autre personne très différente de nous, mais de qui nous dépendons pour satisfaire nos besoins fondamentaux et nos aspirations profondes ? Et pourquoi partons-nous régulièrement en guerre contre ce deuxième personnage ? Même en période d'accalmie nous avons du mal à communiquer avec lui et à le comprendre. Pourquoi ?

Pourquoi avons-nous construit un monde physique régi par un certain nombre de « ils » et de « elles » jouant un rôle majeur dans le partage de la gestion de notre planète, dans l'organisation de ses principales institutions, dans l'abus ou le partage de ses ressources ? Et pourquoi avons-nous inventé un scénario où il nous est impossible de remplir un besoin biologique aussi puissant que la procréation... sans la participation de cet « autre » ?

Nous pourrions trouver des réponses à ces questions en consultant les mythes et les légendes des temps anciens. On y raconte que chaque être humain est la moitié d'un tout divin et que son passage sur terre n'a qu'un but, celui de découvrir l'autre moitié et de faire la paix avec elle. Ainsi, peut-être sommes-nous au monde pour redécouvrir l'autre sexe et pour retrouver avec lui notre unicité et le sens de la plénitude.

Si ces mythes et ces légendes contiennent une parcelle de vérité, alors non seulement notre « guerre des sexes » est-elle vouée à l'échec, mais notre action est futile et va à l'encontre de notre véritable objectif.

Pensez-y un moment. Pourquoi cherchons-nous à nous séparer, à nous distancier de cet autre qui, en vérité, est notre salut ? Il est possible que cette bataille herculéenne pour s'affranchir de l'autre sexe ne soit, en réalité, qu'un faux départ, un parcours erroné dans cette quête vers l'unicité et la plénitude. Un chemin qui nous mène droit vers une plus grande séparation, une plus grande ignorance de l'autre.

Respirez profondément et laissez cette éventualité pénétrer votre esprit. Pour un court moment, laissez tomber cette croyance selon laquelle vous êtes séparé de l'autre sexe. Ici et maintenant, dans le confort de votre monde imaginaire, laissez s'estomper toute idée de séparation et de division et partez à la découverte d'une nouvelle perception des choses.

Au-delà de la guerre des sexes

Dès qu'on abandonne ce concept de la guerre des sexes, une chose extraordinaire se produit. Du moins, c'est ce que nous avons remarqué au cours de notre pratique professionnelle. À l'instant où nous abandonnons nos doutes, nos peurs et notre arrogance pour nous ouvrir réellement à cette possibilité de changer notre relation à l'autre sexe, alors une porte s'entrebâille. Cet « autre », à la fois étrange et mystérieux, qui semblait résider à l'extérieur de soi et qui se montrait si exigeant, fuyant et confondant, cet « autre » commence à nous dévoiler des aspects de lui, des qualités et des caractéristiques trop longtemps cachées. En d'autres mots, il est possible qu'en chaque être humain il y ait à la fois un côté masculin et un côté féminin. Dans chaque homme, il y aurait un peu d'elle; dans chaque femme, un peu de lui.

Ridicule? Peut-être pas. Ce duel entre les sexes, qui perdure et qui nous déçoit profondément, cette bataille qu'on appelle «relation» ne peut nous conduire ailleurs qu'à la frustration, à la confusion et à la souffrance. Une telle souffrance nous ouvre enfin les yeux et nous fait découvrir que nous sommes dans l'erreur. Cet «autre», que nous avons cru si différent et si loin de nous, est une part de nous-mêmes que nous avons perdue ou niée en cours de route. En fait, la relation — qui veut dire *re-lier* ou «lier à nouveau» — est une porte, une ouverture que nous pouvons franchir pour revenir à notre état original, à notre véritable nature dans son entièreté.

Et si nos relations avaient une autre fonction que de nous procurer le bonheur ou de nous faire vivre un conte de fées? Et si nos relations existaient pour nous transmettre une image claire et limpide des qualités et des valeurs que nous possédons tous, qui existent déjà en chacun de nous, mais que nous devons redécouvrir pour ensuite les reconnaître et les mettre en pratique dans notre vie? Pour nous, les relations sont un tremplin qui nous permet de redécouvrir et d'assumer notre véritable identité, afin d'apprendre à vivre en toute authenticité.

Interdépendance et indépendance

Comment intégrer ce discours à votre quête d'une vie plus harmonieuse et équilibrée, à votre désir de dire oui au changement? Pour passer de la guerre des sexes à la paix, pour quitter votre état limitatif et vous ouvrir à l'autre, à l'harmonie entre les sexes, vous devrez examiner vos jugements et vos critiques ainsi que toutes les qualités et caractéristiques que vous projetez habituellement sur l'autre sexe. Plutôt que de partir en guerre pour conquérir votre indépendance, vous serez invité à découvrir et à explorer en vous-même ces aspects de l'autre que vous expérimentez en sa présence — à l'instar de toutes les espèces du monde   et à vous y abandonner. Nous devons accepter notre indépendance réciproque.

Comment procéder pour explorer votre « autre » côté, masculin ou féminin ? Comme toujours, notre démarche est des plus simples. Tous les jours, matin et soir, prenez un moment pour vous asseoir confortablement et tenir une conversation avec vous-même. Laissez venir à vous ces aspects de l'autre sexe qui vous habitent et que vous avez ignorés jusqu'à maintenant. Commencez par les identifier. Vous pouvez les associer à un nom précis, à une personne qui éveille en vous cette qualité que vous avez toujours admirée chez l'autre sexe. Mettez ensuite en communication votre côté masculin et votre côté féminin.

Vous aurez sans doute le sentiment d'être ridicule au début.

En fait, peut-être n'obtiendrez-vous aucune réponse. Mais soyez patient et prenez l'engagement de faire cet exercice quotidiennement ; vous finirez par entendre cette voix qui vous habite et qui, jusqu'à maintenant, ne fut exprimée que par l'autre sexe.

Au cours de l'exercice, restez immobile, faites taire vos jugements, vos critiques et votre censeur intérieur pendant ce dialogue. Si vous permettez à cette autre voix de se déployer, vous découvrirez que vous possédez des qualités ou des attributs qui vous ont toujours attiré chez l'autre sexe, mais aussi certains défauts qui vous agacent depuis toujours. Vous découvrirez également que vous possédez déjà tout ce que vous avez toujours voulu obtenir de l'autre sexe. Par exemple, si vous êtes un homme pour qui la femme est la principale source de tendresse, d'intuition ou de nourriture, vous découvrirez que vous avez déjà toutes ces qualités en vous. Si vous êtes une femme qui cherche en l'homme une reconnaissance, une approbation ou une capacité à prendre des décisions, vous découvrirez sans doute que vous êtes investie de toutes ces aptitudes.

De ce fait, vos dépendances extérieures commenceront à s'amenuiser. Pour la première fois, vous apprécierez la présence de l'autre sexe sans éprouver ce sentiment de distance, de séparation ou d'attachement qui vous pesait.

Au-delà de la première prise de conscience

Pour aller plus loin que ces cinq minutes de conversation avec la voix intérieure de « l'autre sexe », vous pouvez mettre vos rêves à contribution. Avant de vous endormir, demandez qu'on vous en apprenne davantage sur ces attributs qui vous habitent et qui sont à la fois importants et inconnus. Demandez qu'on vous montre, dans vos rêves, comment entrer en contact avec cette autre partie de vous et soutenir la relation qui vous lie. Surtout, faites cette expérience en ayant confiance en vous et en ce pouvoir qui vous habite. Nous en sommes convaincus, vos découvertes sauront vous surprendre et vous encourager dans la poursuite de votre quête.

Voici une autre action importante à faire au quotidien pour apprivoiser vos relations avec l'autre sexe, avec ces hommes et ces femmes qui continueront à vous côtoyer. Au cours des prochaines semaines, choisissez un homme ou une femme de votre entourage qui possède un talent ou qui exerce un métier particulier. Coiffeur, serveuse, garagiste, médecin, avocate, collègue de travail, commis dans un magasin, ami, conjointe, etc. Peu importe sur qui vous jetez votre dévolu, abandonnez-vous totalement entre ses mains, laissez cette personne faire son travail : vous servir à table, réparer votre voiture, vous soigner, vous donner des directives, ou même vous aimer. Ayez suffisamment confiance pour vous abandonner totalement. Laissez cette personne vous guider et vous aider. Goûtez à cette joie immense de vivre le moment présent sans ce doute, cette peur ou cette méfiance que vous ressentez habituellement en présence de l'autre sexe. Accueillez ce qui est sans plus d'attente. En d'autres mots, laissez tomber votre désir de voir les choses se présenter comme vous l'auriez voulu, laissez se déployer ce qui doit être. D'une part, vous serez disposé à recevoir les cadeaux que l'autre désire vous offrir — qui souvent correspondent à ces attributs que vous possédez et qui vous sont parfois inconnus ; d'autre part, si le cadeau de l'autre est inutile ou non désiré, vous saurez lui répondre en toute objectivité et sans réagir outrageusement.

Être le témoin

En outre, il peut être utile de simplement observer les hommes ou les femmes qui vous entourent. Étudiez-les. Montrez de l'empathie à leur égard. Cherchez à découvrir leurs peurs, leurs besoins et leurs désirs. Quelle serait l'expérience de vivre dans ce corps ? Qui sait ? Vous découvrirez peut-être certains aspects essentiels de ce côté masculin ou féminin qui sommeille en vous !

Établissez ce lien intérieur et vous verrez s'installer une certaine paix, une harmonie et une compréhension nouvelle. Il est même possible que vous aimiez vous retrouver en tête à tête avec cet « autre » — homme ou femme — qui vous habite. Vous ne pouvez imaginer l'étendue des possibilités qui s'ouvrent à vous dans cette recherche. Ne serait-il pas formidable de vivre dans un monde où la « guerre des sexes » n'aurait plus sa raison d'être, où toute personne, sans égard à son sexe, pourrait devenir un allié, une complice dans cette quête d'une plus grande conscience et d'une vie pleinement satisfaisante ?

Et ce n'est qu'un début ! Comprendre et intégrer « l'autre » en vous — homme ou femme — peut être le point tournant de votre passage de la limitation à l'expression, de la séparation à la plénitude. Carl Jung parle du « principe d'individuation ». D'autres lui donnent un autre nom : Dieu.

 Exercices

Vous devriez faire régulièrement et soigneusement les exercices que nous vous proposons. En prenant conscience de votre relation à l'autre sexe, en reconnaissant en vous les qualités et les caractéristiques que vous lui attribuez, vous pouvez changer le cours de votre vie. Et prenez plaisir à faire ces exercices. Cette expérience vous enchantera.

1. Matin et soir, prenez cinq minutes pour vous asseoir dans un lieu calme et entrer en dialogue avec la voix intérieure de « l'autre sexe ». Demandez-lui de se révéler. N'oubliez pas que cette autre partie de vous ne s'est jamais développée, qu'elle est réprimée. Vous aurez peut-être le sentiment d'être ridicule au début, mais soyez confiant et patient, vous serez étonné des résultats. Lorsque ces aspects — inconnus ou perdus — de vous-même feront surface, soyez accueillant et aimant, comme vous le seriez auprès d'un ami. Ils sont de précieux alliés dans votre quête de plénitude.

2. Trouvez la méthode qui vous convient pour mener à bien cette conversation intérieure. Certains aiment prendre des notes, d'autres ferment les yeux en silence. Quelques-uns préfèrent rencontrer des personnes de leur choix pour discuter des qualités et des attributs de l'autre sexe. Toutes les méthodes sont bonnes, trouvez la vôtre. Notez ensuite vos observations dans votre journal. Décrivez votre expérience. Qu'avez-vous appris sur l'autre sexe?

3. Tous les jours, prenez une quinzaine de minutes ici et là pour observer une personne de l'autre sexe de votre entourage. Ne cherchez pas à attirer son attention ni à entrer en contact avec elle. Soyez un témoin détaché. Notez sa façon de parler, de bouger. Voyez de quelle manière elle entre en relation avec les gens de son sexe, de l'autre sexe, ou avec les enfants, etc. Dans votre journal, notez vos observations les plus pertinentes.

4. Dressez la liste des dix caractéristiques les plus détestables et des dix caractéristiques les plus admirables, à vos yeux, chez l'autre sexe.

5. Soulignez les caractéristiques que vous reconnaissez en vous.

6. Baptisez votre côté masculin ou féminin, donnez-lui un nom et décrivez ses caractéristiques.

7. Au moins une fois par jour, choisissez une personne de l'autre sexe dans votre entourage. Abandonnez-vous à cette personne qui vous vient en aide (garagiste, serveuse, coiffeur, avocate). Accordez-lui votre confiance, laissez-la faire son travail. Avant de partir, n'oubliez pas de la remercier pour ses bons services.

8. Fermez les yeux un instant. Visualisez un monde sans animosité, sans peur, sans dérision et sans séparation entre vous et l'autre sexe. Prenez quelques minutes pour noter dans votre journal les pensées et les émotions qui vous sont venues durant l'expérience.

Chaque instant est sacré, préservez-le, donnez-lui
sa véritable plénitude, elle lui revient de droit.

THOMAS MANN

16

Devenez un instrument de plaisir

Nous évoluons dans un monde souvent fait de toc et de clinquant — frissons glauques et sensationnalisme, brillantine et mauvais goût. L'apparence prime sur la noblesse du cœur ; les attributs extérieurs importent davantage que les qualités intérieures. Nous consacrons tant d'efforts et d'argent pour créer cette fameuse image. Mode et maquillage, produits de beauté, équipement sportif, traitements pour le visage et le corps, exercices, sans parler du nombre mirobolant de chirurgies plastiques qui coûtent une fortune pour façonner, remonter, réduire, élargir et modeler certaines parties du corps. Tous ces recours font maintenant partie intégrante de notre sempiternelle quête de la beauté physique, de la perfection et du plaisir corporel.

Toutes ces pratiques ne sont pas nécessairement négatives, entendons-nous bien. Certaines sont issues de percées remarquables dans l'art et la science de prendre soin de soi. Toutefois, compte tenu de notre obsession collective face à ces pratiques, des efforts et des sommes que nous y consacrons, il est clair que notre attitude est nettement démesurée par rapport à notre désir de retrouver l'équilibre en toute chose. Parlant de démesure, n'oublions pas de mentionner le temps, les efforts et l'argent que nous consacrons à créer et à regarder les téléromans, à lire des livres à l'eau de rose, à consommer de la pornographie, sans parler des articles et des programmes de télé qui nous submergent d'informations superficielles, d'enquêtes sur nos comportements, de fantasmes et de lubies de même acabit. Tout ce blablabla vise uniquement à entretenir notre obsession de l'apparence et l'éternelle illusion du plaisir.

Nous en consacrons du temps et de l'énergie à rêvasser à ces merveilles, à ce moment où — après que nous serons passés sous le bistouri, entre les mains du coiffeur, du maquilleur, etc. — toutes ces « choses » seront enfin différentes, embellies et, qui sait, peut-être parfaites !

Faites le calcul. Temps, argent, efforts. Et vous verrez qu'il s'agit d'un secteur d'activité fondamental, sur lequel repose une grande partie de l'économie. Nous parlons ici de sommes mirifiques !

Avec tous ces efforts, ce temps et cet argent consacrés à ces pratiques, on pourrait vite en conclure que les hommes et les femmes d'aujourd'hui sont non seulement des œuvres d'art — soignées, magnifiques, désirées —, mais aussi des êtres comblés et généreux. On serait en droit de supposer que, dans ces circonstances, nous avons atteint le summum du potentiel esthétique et sensuel de la race humaine.

Selon nous, ce n'est pas le cas. Dans notre pratique professionnelle, nous avons côtoyé des milliers de personnes. Nous en avons conclu que nous sommes nombreux à être malheureux, frustrés, enragés, impatients, confus, angoissés et découragés. Après avoir consacré tant d'efforts à soigner notre image, nous devrions vivre une véritable transformation personnelle, mais pourtant nous sommes nombreux à nous encroûter désespérément, pris dans quelque ornière et cherchant à éviter les changements inhérents à la vie. Bonjour, contradiction ! Et surtout, quelle honte ! Sous le maquillage, les bistouris, le clinquant et les pots de crème… le plaisir nous échappe encore.

Une action illusoire

Que faire alors ? D'abord, admettre que tous ces frottages et ces maquillages, toutes ces teintures et ces opérations ne peuvent, en soi, satisfaire notre quête. En fait, nous nous dépensons sans compter pour soigner l'« extérieur », mais nous n'apaisons jamais notre soif de plaisir et de plénitude.

Un beau maquillage, quelques biceps développés, une touche de parfum ou d'eau de Cologne, un anneau dans le nez, la langue percée, une généreuse poitrine, des vêtements à la mode — rien de tout cela ne vous rapprochera du paradis. Évidemment, vous le savez. Vous savez aussi que vous tourner vers le monde extérieur ne vous apportera pas la joie, la satisfaction et l'équilibre, qu'en vivant inconsciemment ou presque, vous n'atteindrez jamais la plénitude, l'illumination ou la paix intérieure. Alors, que ferez-vous ? Nous vous suggérons de faire ce que vous évitez de faire, précisément.

Explorer sa véritable nature

Pour passer de la résistance à l'acceptation du changement, nous vous suggérons de vous abandonner totalement à votre véritable nature. Si vous êtes une femme, explorez à fond votre féminité ; si vous êtes un homme, explorez à fond votre virilité.

Oui, nous le savons : de nos jours, se concentrer sur la nature de l'homme ou de la femme n'est plus au programme de la rectitude politique, et pourtant, si vous ne parvenez pas à vous accepter tel que vous êtes, dans votre essence même d'homme ou de femme, vous avez peu de chance de vivre la satisfaction et la plénitude recherchées. Bien qu'il soit de bon ton aujourd'hui de parler de soi en termes vagues et asexués, il reste que, jusqu'à preuve du contraire, vous êtes soit un homme, soit une femme, et nous vous suggérons fortement de vous intéresser à l'essentiel avant de prendre en considération la rectitude politique et les principes cosmiques.

Vous n'êtes pas un être asexué. Vous avez une poitrine et un vagin, ou un pénis et des testicules. Votre organisme sécrète principalement œstrogènes ou testostérone. Selon votre sexe, vos rêves, vos espoirs et vos valeurs peuvent varier ; votre but ultime dans la vie est fortement influencé par votre genre. Votre conscience d'être ce que vous êtes, homme ou femme, est un élément essentiel pour atteindre l'équilibre et le plein épanouissement. Il est grand temps de le reconnaître, de comprendre et de célébrer la grandeur et la magnificence de votre masculinité ou de votre féminité.

Le menu plutôt que le repas

Fouillons un peu cette idée saugrenue. Comment explorer plus avant votre féminité ou votre masculinité et découvrir que cette démarche peut vous aider à dire oui au changement et à mener cette vie satisfaisante dont vous rêvez ?

Nous utiliserons une analogie pour illustrer notre propos. Imaginez-vous faisant votre entrée dans un restaurant chic. On vous accueille avec enthousiasme, on vous offre une des meilleures tables, on vous présente un menu raffiné. Après l'avoir consulté, vous posez votre serviette sur vos genoux et, avec délectation, vous mordez dans le menu pour le manger. Personne ne ferait une telle chose ?

Pourtant, c'est exactement ce que nous faisons lorsque nous nous tournons vers l'extérieur plutôt que vers l'intérieur. Que veut dire « manger le menu plutôt que le repas » ? C'est nier notre identité sexuelle pour nous intéresser à ce qui se passe à l'extérieur de soi — peindre et décorer, se maintenir jeune et à la mode, façonner son postérieur et ses biceps — sans nous préoccuper de notre vie intérieure ; c'est nous consacrer à des activités superficielles pour soigner notre image sans accepter les cadeaux — essentiels et pleins de sagesse — que nous offrent nos côtés féminin et masculin.

Après tout, nous sommes extrêmement talentueux. Nous avons tout l'équipement nécessaire — physique, émotionnel, intellectuel et spirituel — pour donner à l'autre sexe de la joie et un plaisir immense ; à telle enseigne que les gens n'hésiteraient pas à hurler sur le seuil de notre porte ou à nous suivre à la trace pour en redemander. Nous avons notre intuition à partager et qui peut parfois les guider, notre imagination pour les éveiller, notre chaleur et notre gentillesse pour les aider à déverrouiller leurs portes intérieures. Nous avons la profondeur de notre conscience pour les nourrir et les éclairer, notre force pour les soulever, notre courage pour les guider, notre sagesse pour les illuminer, et plus encore. Car nous sommes ce miroir dans lequel les hommes et les femmes peuvent se mirer pour que les uns et les autres puissent y découvrir certains aspects essentiels d'eux-mêmes. Nous sommes un cadeau, le cadeau de la conscience complémentaire. Nous sommes une moitié du mystère divin. Avec nous et grâce à nous, toute la création est rendue possible.

Nous sommes tout cela et davantage. Mais si nous nous obstinons à ne regarder que l'image extérieure de l'un et l'autre, à nier notre identité sexuelle pour devenir une « personne », nul doute que nous manquerons le coche. Nous ne saurons pas dire oui aux changements qui s'offrent à nous et nous serons incapables de vivre dans la joie et la plénitude.

Nous sommes magnifiques. Toutefois, si nous continuons à nier l'un de nos plus précieux atouts — le plaisir d'assumer pleinement et de célébrer notre identité sexuelle —, il y a fort à parier que nous terminerons la course en piteux état, vidés et exténués. À nous de choisir. D'un côté la sagesse, de l'autre la ruse et la perfidie. L'intuition et l'imagination, ou la manipulation sexuelle et émotionnelle. L'exploration du mystère de notre psychisme, ou le toc et le clinquant, le bistouri et les biceps. Bref, à nous de choisir entre manger le menu ou déguster lentement tous les mets exotiques de ce délicieux banquet.

Un instrument de plaisir

Comment ramener votre concentration sur l'essentiel ? En devenant un instrument de plaisir. Transformez-vous en un révolutionnaire qui se consacre au don de soi. Devenez un conseiller en changement. Laissez tomber toutes vos obsessions pour un corps sculptural et une image parfaite, cessez d'écouter toutes ces théories de pacotille sur l'art de séduire un homme ou une femme.

Comment savoir si cette approche est valable ? Comment savoir si, en vous tournant vers l'intérieur plutôt que vers l'extérieur, vous serez plus à même de satisfaire vos désirs ? Faites-en l'essai pendant un certain temps et voyez si le fait de dire oui au changement et de devenir un instrument de plaisir vous permettra de vivre dans la joie et la plénitude. Lorsque vous accorderez toute votre attention à votre identité sexuelle, aux qualités et aux attributs qui font partie intégrante de votre personne, vous saurez intuitivement quelles sont les avenues à explorer, à étudier et à partager avec les autres. Chaque qualité aura une leçon particulière, une sagesse à vous transmettre. Ces découvertes vous permettront de comprendre précisément ce que signifie devenir un instrument de plaisir — avec votre sensualité, mais pas seulement avec elle. Suivez notre suggestion et vous découvrirez toute la joie et la splendeur que vous êtes en mesure d'apporter à votre vie et à celle de vos proches.

Donc, laissez de côté vos croyances sur l'importance de l'image et du monde extérieur pendant un certain temps. Tournez votre attention vers l'intérieur, apprenez à vous connaître en profondeur, entrez en contact avec votre sagesse intrinsèque. N'ayez crainte, vous ne manquerez rien d'important en provenance de l'extérieur. Après quelques jours ou quelques semaines, retournez vers vos anciennes habitudes si tel est votre désir — vous pourrez compter sur le soutien de tout un monde d'intense activité pour vous aider en ce sens.

Essayer quelque chose de différent

Donnez-vous la chance et le temps nécessaire pour essayer quelque chose de nouveau, de différent. Dites oui au changement. Tournez-vous vers cette voix intérieure qui vous enseignera toute la sagesse de l'homme ou de la femme que vous êtes. Entrez dans cet espace intérieur où le concept de service aux autres est bien vivant et apprenez à donner sans limites et sans compter. Allez dans ce lieu secret où se cache votre désir et trouvez une personne à qui l'offrir. Devenez un instrument de plaisir. Devenez un généreux donateur. Offrez la plénitude sexuelle, émotionnelle, physique, intellectuelle et spirituelle à une personne que vous aimez. Mieux encore, offrez-la à une personne que vous croyez détester.

Que chacune de vos actions, de vos paroles et de vos pensées soit une expression de joie et de plaisir. Apprenez à recevoir avec des mains qui donnent. Donnez votre ouverture. Offrez votre créativité et votre amour. Lorsque vous ouvrez vos bras, votre bouche, vos jambes, votre esprit ou votre cœur, faites-le généreusement comme un don. Donnez aussi longtemps que nécessaire.

Devenez réellement un instrument de plaisir et l'Univers entier s'en réjouira. En outre, vous découvrirez sans doute que vos passe-temps habituels et vos loisirs superficiels n'ont plus leur raison d'être. S'ils demeurent, ils deviendront un prétexte pour vous amuser, sans règles sévères et sans obsession. Alors, laissez-vous séduire, abandonnez-vous à votre féminité ou à votre masculinité. Devenez un joyeux et généreux donateur et tirez-en tout le bonheur possible! Soyez un homme ou une femme qui sait dire oui au changement avec enthousiasme, qui devient un instrument de plaisir chaque fois qu'il s'exprime.

 Exercices

Les exercices suivants vous aideront à devenir un instrument de plaisir. Souvenez-vous que le mot « plaisir » ne se réfère pas uniquement à la sexualité et à la sensualité. Le plaisir est également un état: c'est être présent à la joie.

1. Dans quelles situations évitez-vous d'exprimer pleinement votre propre identité sexuelle d'homme ou de femme? Dressez-en la liste.

2. Relevez les caractéristiques de votre propre sexe. Parmi ces qualités, quelles sont celles que vous

pourriez exprimer avec plus d'audace et de vigueur?

3. Établissez la liste des personnes avec qui vous pourriez vivre plus ouvertement votre féminité si vous êtes une femme, votre virilité si vous êtes un homme.

4. Trouvez différentes façons d'exprimer votre identité sexuelle et de devenir un instrument de plaisir. Souvenez-vous d'aller au-delà de la sensualité et de la sexualité, tout en les incluant. Il est question d'être un instrument de joie, d'émerveillement, de mystère, de magie, d'enthousiasme et de vie.

5. Fermez les yeux un instant. Visualisez et expérimentez votre monde lorsque vous vous abandonnez à la joie et au bonheur d'être cet homme, cette femme que vous êtes et que vous deviendrez.

6. Promettez-vous d'explorer quotidiennement votre monde intérieur en y consacrant autant de temps, sinon plus, qu'à vos activités extérieures.

*Les règles sont faites pour guider les sages
et pour faire obéir les idiots.*
DAVID OGILVY

17

Osez briser les conventions

Guindé, prude et convenable. Rigide, conventionnel et méthodique. Disons-le franchement. Nous pouvons parfois nous attribuer ces qualificatifs, surtout lorsque nous nous accrochons à notre petit univers familier pour résister aux changements qui s'imposent. Nous adoptons ces attitudes négatives parce que nous avons été bien rodés, bien formés, restreints et contrôlés tout au long de notre vie. Comme le chien de Pavlov, nous avons été conditionnés à croiser les jambes, à rentrer notre chemise dans notre pantalon, à plier notre serviette de table, à sourire, à serrer les mains avec fermeté mais sans exagérer, à tenir des conversations polies et sans conséquence, à regarder les gens droit dans les yeux, à être polis et, surtout, à ne jamais prendre les devants.

Nous avons appris ces bonnes manières et tant d'autres encore au nom de la courtoisie, de la politesse et de la réussite sociale. En retour, les gens disent de nous que nous sommes bien élevés. Mais s'ils nous donnaient honnêtement leur avis, nous apprendrions que, souvent, nous agissons comme des automates ; nous sommes étriqués, trop structurés, limités, rigides, voire incapables d'exprimer nos véritables désirs. En bref, nous avons peur du changement.

Mais voilà : la constance est franchement ennuyeuse quand nous en faisons le but ultime de notre vie. Une détermination aussi terne et frustrante n'a aucun intérêt aux yeux de gens comme nous, en quête d'équilibre, de créativité, d'innovation, de pouvoir, de conscience, et ouverts au changement.

Oh ! pas de doute, nous plaisons à nos pères et mères, à nos patrons, à nos amants et à nos enfants, à tous nos êtres chers lorsque nous agissons « correctement » et comme « prévu ». Mais, fatalement, vient le jour où nous démissionnons de tout… de la vie, de la joie, de l'enthousiasme et du désir de changer et de vivre pleinement. Nous démissionnons de nous-mêmes !

L'absence de toute spontanéité

Souvent, tant de rigidité indique un manque de spontanéité, une vie morne et sans saveur. Conventions, rectitude, appartenance — tous ces conspirateurs ont les mêmes exigences. Ils nous demandent de nier une partie de nous-mêmes, de la faire taire ou de la supprimer. Ils nous incitent à la répétition, à l'obsession et au désir de nous retirer de la vie. Ils nous forcent aussi à résister à tout ce qui est nouveau et différent. Et comme si cela n'était pas suffisant, ils nous imposent un parcours de vie inflexible, artificiel et rigoureusement immuable qui, au fond, devrait être souple, naturel et diversifié.

Par conséquent, le sens de la propriété et des conventions peut nous inciter à la dépendance, au confort et à la routine, tout en éteignant notre joie, notre imagination, notre esprit. À cause de ces conspirateurs, nous devenons le contraire de ces gens que nous admirons tant et qui ont vécu de grandes transformations intérieures ; qui ont innové, provoqué des changements sociaux, économiques et politiques ; qui ont fondé de grands mouvements religieux et qui nous ont ouvert le cœur et l'esprit à de nouvelles possibilités.

En bref, s'il est vrai que le sens des conventions, de la propriété et de la rectitude peut nous valoir un époux traité aux petits soins, une épouse comblée, une belle-mère en sécurité, des enfants dorlotés, des patrons gâtés, des amis et des voisins qui n'ont rien à craindre de nous, c'est une véritable catastrophe pour nous, individuellement, quand nous voulons dire oui au changement.

Lorsque nous acceptons les limites et les contraintes des conventions sociales, nous manquons une formidable occasion de devenir le principal acteur de notre propre scénario, l'artisan de notre vie, et nous restons un personnage secondaire dans le scénario des autres. Quels que soient nos sentiments à l'égard de ceux que nous aimons, honorons, nourrissons, protégeons ou qui nous protègent, nous brisons une loi spirituelle ancienne et essentielle quand nous nous conformons avec excès aux règles et aux conventions pour leur plaire. Nous ne sommes pas fidèles à nous-mêmes. Peu importe ce que nous aurons fait pour autrui, si nous violons cette loi, si nous négligeons nos aspirations profondes et nos défis, rien ne pourra changer le cours des choses lorsque le glas sonnera. Nous aurons peut-être eu une mère, quelques époux ou épouses, plusieurs enfants, une ou deux carrières, une poignée de patrons, des centaines d'amis et de collègues, mais, à l'heure de notre mort, il ne restera personne sauf « soi ».

Oser dire non aux conventions

Dans cet apprentissage à dire oui au changement, faites cet exercice : apprenez à dire non aux conventions et à répondre « Au diable la rectitude ! ». Chaque fois que vous étouffez sous le poids des conventions et de la rectitude, révoltez-vous ! Remettez en cause vos habitudes, vos gestes prévisibles, étudiez-les et redéfinissez-les. Rendez à vos proches le contrôle de leur existence et commencez à assumer l'entière responsabilité de votre vie. Vous aurez passé tant d'années à vous soumettre à la rectitude qu'il vous faudra un certain temps pour vous désencrasser et découvrir votre véritable nature. Si vous en êtes à vos premières armes, commencez par le commencement ; si vous avez déjà entamé votre quête, vous chercherez sans doute à accélérer le pas.

Il est temps de vous montrer là où on ne vous attend pas, il est temps de cesser de vous montrer là où on vous attend. Soyez spontané. Offrez un présent sans raison, sans anniversaire ni événement à souligner. Partez en voyage au milieu de la nuit ou de la semaine — soyez imprévisible. Cessez d'offrir des billets de hockey, offrez plutôt des places au théâtre (ou vice-versa). Invitez votre époux ou épouse, amant ou amante, nouvelle conquête à dîner au restaurant et, plutôt que de lui casser la tête en bavardage, enlevez-lui ses bas avec plaisir. Préparez le repas lorsque vous en avez envie, et non lorsqu'on vous le demande. Invitez vos proches à prendre leurs responsabilités et à participer joyeusement à votre vie. Modifiez constamment votre horaire. Proposez de faire l'amour à des moments indus, dans des lieux inhabituels. Discutez de tous les sujets tabous pendant le dîner. Provoquez la controverse.

Autrement dit, créez une véritable révolution. Allez au-delà des clichés comme « les droits des femmes » et « les responsabilités et privilèges des hommes ». Dépassez ces vieux symboles de femmes aux seins libres et d'hommes aux pectoraux bombés. Laissez l'intuition et l'originalité vous guider. Célébrez l'inusité, le mystérieux, le majestueux, le puissant, votre extraordinaire nature féminine ou masculine. Devenez une femme, un homme authentique. Devenez une boule d'énergie, une boîte à surprises. Soyez un adepte du merveilleux et de l'inattendu.

Au moins une fois par jour, remplacez un geste conventionnel, prévisible et correct par l'action la plus merveilleusement positive et originale qui soit. Rien ne vous oblige à vous restreindre d'aucune façon, mais sachez que votre originalité vous sera doublement bénéfique si elle respecte le bien-être des autres.

Donc, explorez votre univers. Faites-en l'expérience. Abandonnez-vous à votre monde ! En tout temps, en tout lieu, soyez ouvert au changement et allez à l'encontre de la rectitude. Et n'oubliez pas ceci : « On entreprend le véritable voyage de la découverte non pas en admirant de nouveaux paysages, mais en jetant un regard neuf sur les choses. »

Une dernière remarque : cette stratégie ne vise surtout pas à justifier un comportement destructeur, à approuver une attitude égoïste ou insensible. Nous vous proposons de briser les conventions pour vous aider à aller au-delà du conditionnement rigide de toute une vie — que Don Miguel Ruiz, auteur du livre *Les quatre accords toltèques,* appelle notre « domestication ». Peu importe l'usage que vous en faites, cette stratégie ne doit pas vous faire oublier la gentillesse, la sensibilité, la décence et l'amour.

 Exercices

Les exercices suivants vous procureront plaisir et enseignements. Ils vous aideront à mieux comprendre la citation de David Ogilvy, au début du chapitre. En outre, ils vous aideront certainement à briser les règles et les conventions.

1. Dressez la liste de six comportements habituels ou conventionnels qui contredisent votre nature profonde.

2. Dressez la liste des comportements contraires et positifs que vous pourriez adopter et qui insuffleraient plus de spontanéité, de joie et de créativité dans votre vie.

3. Lorsque vous le pouvez, prenez un moment pour vous asseoir et fermer les yeux. Visualisez une situation qui vous incite à adopter un comportement réducteur vous empêchant de vous exprimer librement et honnêtement. Dans votre monde imaginaire, remplacez ce comportement par un autre, contraire et positif, qui saura vous redonner vie et vous renouveler. Notez vos émotions dans les deux cas.

4. Vous êtes maintenant prêt à intégrer ce changement à votre vie. Dorénavant, chaque fois que vous décèlerez un comportement acquis ou étriqué devenu automatique, remplacez-le par un comportement qui apparaît sur la liste établie au point n° 2.

5. Lorsque vous défiez courageusement les conventions, notez vos observations et conservez un registre de vos expériences et de vos sentiments.

Des pensées limitatives créent des gens limités.

ANONYME

18

Refusez les surnoms
et les diminutifs

Nous vivons dans un monde où tout file à une vitesse vertigineuse. Un monde fait de repas-minute, de conversations sur le seuil d'une porte, de puces, de synopsis et de « droit au but ». Nous cherchons tous — parfois furieusement — à abréger, à condenser et à résumer ; nous voulons désespérément gagner du temps. Mais à quelle fin ? Nous n'en savons rien. Le plus curieux, c'est que peu de gens parviennent à faire quelque chose de significatif avec tout ce temps « gagné ».

Pourtant, nous pourrions employer notre temps à des fins plus nobles ou plus pragmatiques et nous consacrer à certaines activités, par exemple nous initier à un art, partager nos connaissances, explorer de nouvelles avenues, rencontrer des gens, créer de nouvelles ouvertures dans notre vie. Et si nous utilisions ce temps si précieux pour dire oui au changement avec vigueur et tout notre cœur ? Bien sûr, nous employons parfois ce temps libre avec circonspection, mais nous avons plutôt l'habitude d'en profiter pour aller plus vite, pour accumuler encore plus de biens matériels, même si nous sommes déjà comblés par la vie. De fait, la majorité d'entre nous a du temps à perdre, mais rarement trouvons-nous le temps de découvrir et de devenir qui nous sommes réellement.

Comme si cela ne suffisait pas, nous réduisons aussi nos phrases, nos titres professionnels et même notre nom. Nous sommes plutôt à l'aise dans ce monde d'acronymes et d'abréviations. Ces diminutifs nous font gagner du temps. Alors, pourquoi nous en faire si notre nom finit par ressembler au nom d'un gentil petit chien ?

En tout ou en partie

Peut-être acceptez-vous qu'on réduise votre prénom à un diminutif ou à un surnom gentil ou familier : Ben, Junior, Lulu, Biche, Nick ou Lou, sobriquet dont on vous a affublé pendant votre enfance. Peut-être s'agit-il d'un diminutif que vous avez adopté, à un moment de votre vie, pour éviter d'utiliser votre nom, votre prénom, votre nom de femme mariée ou votre titre professionnel — car il était trop sérieux, trop conventionnel ou trop adulte à vos yeux, à cette époque.

Mais en quoi refuser les surnoms et les diminutifs est-il si important ?

Comme nous l'avons vu au chapitre 10 : « La pensée donne naissance aux états de conscience qui, à leur tour, donnent naissance aux manifestations physiques (que nous appelons *notre réalité*). » Autrement dit, nos pensées façonnent le monde dans lequel nous vivons.

Le canevas de notre univers

Quel est le lien entre notre propos et l'emploi des surnoms et des abréviations ? Eh bien, nos physiciens affirment que notre univers se compose d'énergie. Selon eux, c'est le taux vibratoire de la matière qui donne différentes formes aux objets qui nous entourent. Plus la vibration est lente, plus l'objet est solide. Ainsi, le taux vibratoire de la pierre est lent. En contrepartie, le taux vibratoire de l'air est très rapide. La pensée se compose, elle aussi, d'énergie. Elle émane de notre cerveau sous forme de vagues. (La pensée crée des états de conscience…)

Des pensées identiques créent des vagues similaires et, lorsque ces dernières sont suffisamment nombreuses, elles tissent des formes précises, des canevas sur lesquels l'énergie s'accumule en perdant graduellement de sa vitesse. Lorsque le taux vibratoire est suffisamment bas, l'énergie devient tangible. Elle devient matière ou ce que nous appelons la « réalité ». (Les états de conscience créent notre réalité physique.)

Et notre habileté à dire oui au changement dans tout cela ? Comment établir un lien entre notre propos, notre vie qui s'écoule à cent à l'heure et l'usage excessif de surnoms et d'abréviations ? Voici : si vous acceptez qu'on vous appelle Ben ou Junior, Lulu ou Biche, Nick ou Lou, si votre entourage et vous répétez sans cesse ces diminutifs qui ont une connotation réductrice, alors vous permettez qu'on vous affuble de ces pensées limitatives et peu envieuses. Ce faisant, vous restez « petit », « lulu », « biche », donc malléable, gentil, frêle et quoi encore !

Ces surnoms et ces diminutifs vous façonnent, vous disent que vous êtes réduit à peu de chose, à une abréviation ! Ils forment des pensées qui se transforment en vagues d'énergie qui, finalement, perdent de la vitesse et ralentissent au point de créer des formes limitatives et contraignantes. Des vagues et encore des vagues qui, sans fin, vous assaillent et vous réduisent jour après jour, vous diminuent et sabotent votre désir de changer, votre volonté de prendre la vie à bras-le-corps.

La puissance de votre nom

Un nom est un mot. Or, nous le savons maintenant, les mots sont extrêmement puissants. Rappelez-vous : « Au commencement était le Verbe… » D'après vous, qui a créé ces sons qui, une fois assemblés, composent votre nom ? Est-ce l'effet du hasard ? Croyez-vous réellement que votre prénom fut choisi par vos parents lors d'un jeu ? Et si votre nom était beaucoup plus qu'un amalgame sonore ? Comme une chanson, votre chanson personnelle, une mélodie qui existait bien avant votre naissance ? Et si votre nom était l'affirmation même de votre vie ? Que les lettres de votre nom étaient celles des mots de votre chanson ? Lorsque vous les entonnez, tout fusionne : les sons, la mélodie, l'harmonie et le sens. Est-il possible qu'en chantant votre nom au complet, sans abréviation, sans surnom, vous vous façonniez une vie pleine, sans réduction et sans limite — une vie que vous menez joyeusement, avec toute votre puissance, votre grandeur, votre vigueur et votre engagement ?

Cette idée peut vous sembler saugrenue, mais amusons-nous un peu. Répétez votre nom en entier, à haute voix. Restez à l'écoute de vos émotions pendant cet exercice. Sentez-vous une résistance à répéter ainsi votre nom ? Il vous semble trop sérieux, trop conventionnel ? étrange ou distant ? Ce nom vous intimide ? Il vous rappelle un parent, un personnage public que vous n'aimez pas ou qui est très différent de vous, peu attrayant ou, au contraire, si puissant que vous n'arriverez jamais à lui ressembler ? Peut-être qu'une personne de votre entourage porte le même nom que vous, une personne qui s'est montrée cruelle à votre égard ou qui a souffert du rejet. Peu importe la source de vos émotions, observez-les, reconnaissez-les et lâchez prise.

Dites adieu aux abréviations ! Dites adieu aux surnoms et aux diminutifs ! Nous avons suffisamment de Ben et de Junior, de Lulu, de Cocotte, de Biche, de Nick et de Lou. Nous avons besoin de femmes et d'hommes pleinement vivants, adultes, aimants, spontanés, sages, puissants et splendides.

Votre tâche consiste à mettre votre pouvoir en branle, à chanter la mélodie de votre nom, à explorer cette magnifique composition musicale. Faites-le dès maintenant ! Asseyez-vous, prenez un stylo et écrivez votre nom en entier. Dix fois, vingt fois. Soyez à l'écoute de vos émotions. Continuez à l'écrire jusqu'à ce qu'il vous semble familier. Puis, commencez à l'utiliser en tout temps et en tout lieu. Signez-le. Dites-le. Chantez-le. Entonnez le chant de votre nom, assumez-le et célébrez tous les aspects de votre être, de celui ou celle que vous êtes.

Souvenez-vous de ceci : votre nom est important. Il est porteur d'énergie. Plusieurs groupes religieux et traditions spirituelles emploient différents noms divins, fort anciens, dans leurs prières, leurs chants et leurs incantations — Dieu, Hu, Om, Anihu, etc. La vibration du nom divin élève nos consciences, éveille une profonde harmonie qui sommeille en nous, une harmonie avec la vie, l'amour et Dieu. Donc, refusez les surnoms et les diminutifs, réclamez et assumez votre pouvoir personnel ! Dites votre nom et, ce faisant, dites oui au changement.

Exercices

Si vous faites régulièrement ces exercices, vous courez la chance d'évoluer différemment. Il est aussi possible qu'on réagisse autrement à votre égard. Alors, prenez le temps de vous y consacrer. Ils vous aideront à dire oui au changement.

1. Répétez et écrivez votre nom à maintes reprises. Copiez-le dix ou vingt fois dans votre journal de bord.

2. Décrivez les sentiments que vous inspirent ces exercices.

3. Si votre nom est associé à certaines images négatives, notez-les. Soyez honnête. Faites une distinction entre vos émotions : celles qui sont reliées à votre timidité, à votre refus de reconnaître certains de vos attributs, celles qui sont provoquées par vos souvenirs ou vos associations avec des personnes portant aussi votre nom, des gens que vous n'aimez pas ou qui vous rappellent des événements désagréables.

4. Amusez-vous avec vos nom et prénom. Répétez-les de différentes manières. Sortez vos talents de comédien et imitez les attributs que vous associez à votre nom. Vous le trouvez conventionnel ? Alors, répétez-le avec ostentation. Tenez-vous debout, les épaules relevées, et dites mélodieu-

sement votre nom. Chantez-le. Faites-en une chanson, une phrase musicale ou une prière. Après tout, votre nom est un chant sacré.

5. Fermez les yeux et pensez à des êtres qui ont porté votre nom. Choisissez des personnalités ou des gens de votre entourage que vous admirez. Répétez votre nom à haute voix ou mentalement ; sentez monter en vous la joie, l'honneur, l'humour, l'honnêteté et la splendeur de ce nom. Dans votre journal, décrivez votre expérience et notez vos observations.

6. Au cours des prochains jours, engagez-vous à utiliser votre nom complet en tout temps et en tout lieu.

*Peu importe ce que vous pouvez accomplir
ou ce à quoi vous rêvez, faites un premier geste.
L'audace est faite de génie, de pouvoir
et de magie. Faites ce premier geste dès maintenant!*
GOETHE

19

Honorez la spontanéité

Insipide, planifié, prévisible. Ces mots décrivent trop bien notre mode de vie. Contrôlé, prudent, confortable sont aussi de la partie. En ces temps complexes et incertains, nous sommes de plus en plus nombreux à jouer le jeu dans le seul but de ne rien perdre, et non de gagner. Nous misons sur la sécurité plutôt que sur la découverte, nous choisissons la prudence plutôt que l'innovation. Nous nous accrochons férocement au *statu quo* plutôt que de nous abandonner joyeusement à la mouvance naturelle des choses de la vie.

Ici, notre propos n'est pas de blâmer qui que ce soit. Il n'est donc pas question de reproche, mais de conscience. Nous devons reconnaître que, malgré les temps difficiles et sombres que nous traversons, malgré les défis de taille qui se présentent à nous collectivement, nul ne devrait accepter de vivre dans la contrainte ou l'enfermement. Pourtant, nous accordons plus d'importance à notre apparence et aux diktats sociaux qu'à notre quête du bonheur et du contentement.

Tout comme nous, sans doute menez-vous une vie parfois trop prévisible et structurée dans un monde sans âme. Vous évitez de courir des risques. Vous restez discret. Vous faites taire toute forme de vitalité et de passion — ce genre d'état que le changement provoque. Surtout, ne pas faire de vagues ni de bruit. Ne pas éveiller le toutou qui sommeille en nous.

Mais alors, que faire ? Les maladies sexuellement transmissibles envahissent nos rues et la liberté sexuelle en prend pour son rhume. Les drogues et l'alcool sont socialement acceptés, mais nous savons qu'il s'agit de divertissements réducteurs et négatifs au mieux, de dangereux inhibiteurs de la conscience au pire. Bien sûr, nous pouvons passer des heures devant le téléviseur pour nous engourdir le cœur et le cerveau. La surdose télévisuelle, nous connaissons ! Nous pouvons fumer, nous traiter intérieurement de tous les noms, flâner ou nous perdre complètement dans un bénévolat excessif pour aider le monde entier et tante Rose. Nous sommes nombreux à vivre ainsi. Et, finalement, dans ce monde menaçant, nous pouvons nous protéger du danger en plongeant dans l'angoisse et l'obsession. Depuis le 11 septembre 2001, plusieurs ont fait ce choix. La majorité d'entre nous vit ainsi, parfois ou en tout temps, afin de ne pas prendre la responsabilité de devenir celui ou celle qu'ils pourraient être.

Une petite voix paisible

Dans tout ce fouillis, une paisible petite voix intérieure cherche encore et toujours à se faire entendre pour nous proposer les meilleurs choix, une voix qui nous rappelle notre désir de mener une existence plus riche, de vivre différemment. Ignorée pendant toutes ces années, elle risque d'être bien faible. À peine un vague murmure, une petite voix en sourdine. Peu importe son intensité sonore, elle existe bel et bien ; si vous lui prêtez l'oreille, elle peut se faire profonde et devenir une source de guérison issue de votre sagesse intérieure.

Dans votre quête d'une vie équilibrée, puissante et ouverte au changement, votre prochaine étape consiste à accepter cette voix intérieure telle qu'elle se présente, avec son intensité, son volume. Reconnaissez son existence. Puis, adressez-vous à cette voix comme à un enfant négligé, craignant votre rejet ; admettez que vous l'avez sous-estimée, écoutez ensuite sa réponse. Reconnaissez votre indifférence, admettez qu'il faudra du temps et de la patience pour retrouver le lien qui vous unit, votre voix intérieure et vous.

Consacrez cinq minutes par jour à ce dialogue intérieur. Bientôt, vous noterez que cette voix s'accentue. Dites-lui votre peine, votre souci et votre désir de vivre en toute complicité avec cette partie de vous, et elle viendra à votre rencontre, plus souvent et plus intensément. Comme un enfant négligé qu'on apprivoise à force de compliments, d'encouragements, d'amour, d'éloges, un enfant qu'on écoute et dont les suggestions sont mises en œuvre. Ainsi, votre voix intérieure deviendra votre meilleure amie. Suivez ses conseils et vous serez étonné de voir votre vie se transformer. Chaque fois que vous dialoguerez avec votre voix intérieure, demandez que toute chose se produise pour votre plus grand bien.

Écoutez cette voix et elle vous protégera. Au début, ses suggestions risquent de vous sembler incongrues, farfelues et même déraisonnables. Merveilleux ! Cela prouve que votre voix intérieure refait surface. Plus ses conseils seront curieux, plus cette aventure sera formidable. Car, voyez-vous, vos limitations et vos contraintes se présentent habituellement sous le masque de la logique et de la justification : nous faisons de la « rationalisation mensongère ». Plus ses suggestions sembleront irrationnelles, plus vous pourrez vous y fier et plus vous aurez du plaisir à les exécuter.

Le plus difficile, c'est de commencer à suivre ses conseils. Mais faites-le ! Faites ces choses ridicules, idiotes, absurdes, illogiques, farfelues, saugrenues et inattendues que votre voix vous propose. En d'autres mots, bienvenue dans le monde de la spontanéité.

La meilleure alliée

Si vous désirez vraiment mener une vie riche et équilibrée, faites de cette voix votre meilleure alliée. Tous vos essais précédents tournaient autour de ce qui vous est connu. Or, vous ne pourrez découvrir l'inattendu, l'unique et le mystérieux sans franchir les limites du connu. Votre cerveau est bien trop rusé. Il a bien appris sa leçon. Au moindre signe d'ouverture de votre part, il peut vous ériger instantanément un mur de briques. Il met en charpie, évite, ignore ou s'approprie tout ce qui est unique, car il est convaincu de l'avoir déjà rencontré. Mais votre cerveau sait une chose : il doit protéger son territoire. Il se croit intelligent et par cette croyance, il vous aveugle, vous cache le cadeau inestimable et unique que vous offre le moment présent.

Dépassez cet obstacle, avancez dans la vie avec un regard neuf, ouvert à l'inattendu et à l'inconnu. Dites oui au changement, acceptez de vous laisser guider vers la découverte comme un aveugle s'abandonnerait à son guide. Sans quoi, vous justifierez votre refus de suivre les conseils de votre voix intérieure et de faire ces choses ridicules, idiotes, absurdes, illogiques, farfelues, saugrenues et inattendues à coups de raisonnement et de rationalisations mensongères. C'est quand vous faites ces gestes déraisonnables et farfelus que l'ordinaire devient excitant et extraordinaire.

Voici la prochaine étape : retracez votre voix intérieure et faites-lui entièrement confiance. Apprenez à honorer votre spontanéité. Chaque jour, mettez en œuvre un conseil prodigué par cette voix, mais ne cherchez pas à comprendre ! Faites-le, tout simplement. Ce conseil peut ressembler à une vague impulsion ou à une recommandation floue. Une voix paisible et parfois à peine audible disant : « Tourne à gauche ! Quitte dès maintenant ! Téléphone-lui ! Dis-le-lui tout de suite ! N'y va pas ! » Votre rôle consiste à suivre ses conseils sans poser de question. En cours de route, vous recevrez d'autres consignes. Comme dans une chasse au trésor, l'excitation, l'énergie et la motivation augmenteront chaque fois que vous découvrirez un nouvel indice. Un pas vous conduira au suivant, et ainsi de suite. Et chacun de ces pas renfermera son propre trésor !

Parfois, vous aurez du mal à saisir les suggestions et les conseils de votre voix intérieure. Soyez patient et persévérant. Surtout, soyez gentil et compréhensif envers vous-même. Il est possible qu'un pas semble vous mener dans une impasse. Ne paniquez pas ! Ayez confiance, attendez le prochain signe et suivez-le. Il peut y avoir des temps morts entre les messages. Gardez confiance. À d'autres moments, tout se bousculera à une vitesse folle, mais abandonnez-vous à ce rythme, au flot, à la magie, peu importe la cadence ou les apparences. Laissez votre spontanéité s'exprimer librement, différemment. Dites oui au changement. Écoutez votre voix intérieure et devenez le grand explorateur du pays des merveilles. Votre spontanéité vous guide. Honorez-la !

Enfreindre la stratégie première

Pourquoi vous inviter à la spontanéité quand, au premier chapitre, nous vous avions conseillé d'avoir une vision claire et de vous doter d'un plan bien structuré ? Parce que, comme dans tout excès, une planification trop serrée peut devenir un obstacle plutôt qu'un outil précieux. Par conséquent, si vous surveillez votre planification de manière compulsive ou si vous êtes trop attaché à votre vision des choses, il est probable que votre créativité en sera freinée, ainsi que votre imagination et votre intuition.

Après tout, la vie est une suite de joyeux accidents, de coïncidences remarquables, de rencontres et d'événements magiques et inattendus. Donc, échafaudez vos plans, précisez votre vision des choses, puis quittez la pièce et partez à la rencontre du mystérieux et du spontané. Et, lorsqu'ils se présenteront, honorez-les !

 Exercices

Offrez-vous ce plaisir, faites ces exercices. Ils ramèneront la joie et la spontanéité dans votre vie. En prime, vous rétablirez le lien avec votre voix intérieure si, d'aventure, vous l'aviez oubliée ou négligée. C'est la source première de votre sagesse intrinsèque.

1. Consacrez cinq minutes par jour à dialoguer avec votre voix intérieure. Écoutez cette petite voix, longtemps négligée, qui vous invite à mettre un peu d'originalité et de spontanéité dans votre vie. Après une si longue absence, vous devrez être patient et aimable pour rétablir le dialogue. Au début, il est possible que rien ne survienne. Revenez à la charge : votre voix intérieure teste peut-être le sérieux de votre engagement — qui sait ? Trouvez votre façon personnelle d'établir ce

contact — pour certains, le dialogue se fait par écrit sans aucune censure. Ou encore, respirez profondément pour libérer les tensions et pour être mieux disposé à écouter. Peu importe la méthode, l'essentiel, c'est de vous mettre à l'écoute de votre voix intérieure.

2. Avant de commencer à dialoguer, faites quelques exercices de respiration et de concentration. Le moine vietnamien Thich Nhat Hanh propose des exercices mentaux fort utiles. Les voici, en résumé: inspirez et dites intérieurement «je suis ici», puis, en expirant, dites «je suis en sécurité» ou «je suis arrivé»; inspirez et dites intérieurement «je suis arrivé», puis, en expirant, dites «moment présent, merveilleux moment»; inspirez et laissez entrer la paix, expirez et laissez sortir les limites et les restrictions. Poursuivez cet exercice et attendez de sentir une ouverture. Alors, invitez votre petite voix intérieure à parler.

3. Notez chaque jour les suggestions et les conseils les plus intéressants ou mémorables de votre voix intérieure, puis décrivez les émotions qui surviennent lorsque vous vous imaginez mettre ces conseils à exécution. Prêtez une attention particulière aux suggestions qui vont à l'encontre de vos comportements habituels.

4. Choisissez l'un des conseils de cette liste. Imaginez-vous en train de le mettre en œuvre. Observez tout

changement d'énergie et notez votre degré d'enthousiasme.

5. Et voici maintenant LE test. Exécutez chacun de ces conseils, un à un. Souvenez-vous de la règle d'or : l'action que vous entreprenez doit être positive et doit contribuer à votre apprentissage et à votre élévation. Surtout, cette action ne doit en aucun cas blesser ou injurier quiconque.

6. Écoutez votre sagesse intérieure, faites-en une pratique quotidienne. Et n'oubliez pas de remercier cette voix qui vous guide et vous soutient. Elle vous remerciera à son tour en multipliant ses bénédictions.

J'ai découvert que, parmi mes patients, ceux qui ont accompli les plus grands changements étaient motivés par un secret qu'ils ne pouvaient ou ne voulaient révéler.

CARL G. JUNG

20

Préservez votre confidentialité

La croyance populaire veut que le bavardage et le commérage soient essentiels à la vie comme, disons, la respiration. C'est faux. On voudrait aussi nous faire croire qu'ils ont les effets bénéfiques d'une thérapie. Faux. De plus, ces pratiques n'ont pas le pouvoir de nous donner un teint de pêche, une poitrine ferme, des muscles abdominaux du tonnerre ou une bonne posture. Toutefois, on peut parfois les considérer comme des fonctions biologiques et, à notre avis, les placer dans la même catégorie que les rots, les hoquets et les vents intestinaux.

Le commérage ressemble donc à l'élimination de gaz intestinaux et de toxines par voie buccale — si notre comparaison vous irrite, vous êtes probablement prêt à admettre que le bavardage et le commérage représentent un « danger » pour la santé et le bien-être de nos proches, et qu'il serait sans doute sage de modifier notre régime alimentaire.

Selon nous, ces pratiques populaires sont les symptômes d'une maladie grave qui dilapide un nombre impressionnant de vies, et ce, de maintes façons. La situation est beaucoup plus alarmante qu'on ne le prétend. Cette maladie est non seulement très répandue, mais aussi très contagieuse. En général, nous l'avons contractée d'abord de nos parents, de nos enseignants, de nos tuteurs et de nos modèles qui, eux, en avaient hérité dès leur plus jeune âge.

Nous exagérons? À peine. La plupart d'entre nous gaspillent leur vie en bavardage — à babiller, à causer, à radoter et à répéter les ouï-dire et les demi-vérités. Ce flot de sottises, qu'on appelle aussi « commérages », n'est rien de plus qu'un torrent inconscient qui projette nos versions négatives et limitatives du passé; qui se répète en vagues monotones de mots, de rythmes et de sons; qui finit par se transformer en une marée sonore et furieuse parfaitement insignifiante. Lorsque ce genre de communication réactionnelle surgit du passé, il propage habituellement des jugements négatifs et des critiques portant sur soi et sur les autres, déversant ses effets néfastes sur les générations futures.

Un grand consommateur d'énergie

Si vous commencez à saisir les effets dévastateurs de ces « loisirs » populaires que sont le bavardage et le commérage, nous, les auteurs, aurons bien investi notre temps. Si vous avez l'habitude de vous répandre ainsi, sans doute dépensez-vous ensuite une tonne d'énergie à tenter de faire, de dire, de penser ce que vous affirmez. Et puis, à faire tant de tapage que vous ne pouvez plus vous entendre ni entendre vos voisins. Au milieu de ce bazar, vous pouvez difficilement trouver une autre façon de communiquer avec le monde. Bref, le commérage soutient nos habitudes et fait obstacle au changement.

Pour la plupart des gens, le commérage semble naturel, sans conséquence et anodin. Mais ce n'est pas la réalité. Il est artificiel et dangereusement insidieux pour vous et pour les autres. Ne nous croyez pas sur parole : voyez par vous-même. Est-ce que vos proches et vous avez déjà souffert du commérage et du bavardage ? Voyez tous les méfaits — petits et grands — qui ont été commis sous le couvert d'une petite discussion qui semblait sans conséquence ? Si vous n'êtes pas encore convaincu de l'importance d'abandonner cette pratique, songez à tout le mal que vous vous êtes fait en parlant trop, ou trop vite.

Avez-vous déjà eu un secret, un secret que vous ne pouviez ou ne vouliez dévoiler à personne ? Peut-être un secret concernant votre meilleur ami ? Ainsi, vous ne pouviez vous confier même à lui, à qui pourtant vous aviez l'habitude de tout raconter. Après quelque temps, voyez comme ce secret si bien gardé — surtout s'il était positif, par exemple une fête surprise — a créé une certaine magie en vous. N'aviez-vous pas des papillons dans l'estomac chaque fois que vous y pensiez ? Et plus l'événement approchait, plus la puissance de ce secret devenait tangible, non ?

Fouillons plus loin encore. Si vous aviez eu un secret et l'aviez laissé grandir en vous de la sorte, l'auriez-vous dévoilé ? Vous est-il déjà arrivé de « vendre la mèche » ? De trahir un secret ? Comment vous êtes-vous senti ? L'expérience fut inspirante ou décevante ? Si vous êtes comme la majorité d'entre nous, elle fut des plus décevantes. Vous saisissez ? Comprenez-vous bien de quoi il s'agit ?

Le pouvoir d'un secret bien gardé

Le secret avait un pouvoir et le fait de le dévoiler lui a fait perdre sa force intrinsèque. Au début de ce chapitre, nous avons mis en exergue une citation de Carl Jung qui avait une théorie sur le secret.

Il a découvert que, parmi ses patients, ceux qui avaient vécu des transformations extraordinaires pendant leur thérapie et franchi des obstacles importants avaient souvent eu à garder un secret qu'ils ne pouvaient ou ne voulaient dévoiler à personne. Ce secret avait servi de carburant, il était à la source d'un pouvoir personnel.

Songez à ces gens qui ont su transformer leur vie, parfois après de lourdes épreuves, et voyez ce que vous pouvez réaliser en utilisant le pouvoir de vos propres secrets. Peut-être n'avez-vous aucun secret particulier, à part un souvenir un peu gênant ou honteux. Mais il fut un temps où vous aviez vos secrets. Rappelez-vous vos rêves d'enfant, vos désirs d'accomplir de grandes choses ou de devenir quelqu'un. Vous souvenez-vous de ces merveilles que vous vouliez accomplir ?

Prenez un moment et rappelez-vous vos rêves d'antan et vos promesses de les réaliser un jour. Posez-vous cette question : vous rappelez-vous les avoir confiés à quelqu'un ? Si oui, comment cette personne a-t-elle réagi ? Vos rêves étaient-ils farfelus, ridicules à ses yeux ? S'est-elle moquée de vous et vous a-t-elle trahi ? En avez-vous été blessé ou désenchanté ? Peut-être avez-vous renoncé à poursuivre votre rêve pendant un certain temps ou à jamais. Il n'y eut peut-être ni moquerie ni dérision mais, parce que vous l'aviez partagé, votre secret a perdu de sa magie, de son énergie et de sa valeur. Peut-être avez-vous réalisé que votre secret était spécial parce qu'il n'appartenait qu'à vous. Ou bien, en le partageant, vous avez compris que les mots n'arriveraient jamais à en traduire toute l'essence. Il était peut-être trop tôt pour vous confier, votre secret n'étant pas assez mûr pour affronter les rayons du soleil et l'âpreté des éléments.

Préserver ses secrets

Si nos propos vous touchent, vous comprendrez pourquoi il est essentiel de préserver votre confidentialité pour arriver à dire oui au changement. Votre tâche est simple : restez muet ! Gardez votre secret. Suivez cette ancienne tradition spirituelle qu'on appelle la Loi du silence. Laissez votre pouvoir personnel se construire intérieurement. Évitez le bavardage — au sujet des autres et surtout à votre sujet. Ne partagez pas votre secret, laissez-le se déployer dans votre vie. Devenez l'incarnation de votre secret afin de le connaître sous tous ses aspects. Laissez cette connaissance vous motiver, vous informer et vous façonner, laissez-la modeler votre action pour que votre entourage puisse en bénéficier.

Apprenez d'abord à dialoguer avec vous-même. Écoutez-vous. Utilisez l'information et les conseils que vous recevez au sujet des changements à faire dans votre vie ; demandez conseil sur les actions que vous désirez entreprendre et vous éviterez de tomber dans le piège des exagérations, des omissions et des réductions qui vous guettent lorsque vous en parlez avec votre entourage. Évitez de justifier votre secret, de le défendre ou de l'expliquer. Laissez simplement grandir en vous cette merveilleuse idée ou émotion, nourrissez-la à l'intérieur de vous, de sorte qu'elle se fortifiera et prendra racine jusqu'au moment où elle sera assez forte pour se tenir debout, bien droite, sous la forme d'une réalisation accomplie. Bref, suivez ce sage conseil qui nous invite à protéger la vulnérabilité inhérente à tout commencement.

Ce conseil s'applique à merveille à votre démarche actuelle. Lorsque vous serez bien enraciné dans un exercice ou une pratique, que vous aurez testé et vérifié personnellement nos recommandations, partagez vos découvertes avec vos proches. On dit que nous retenons 20 % de ce que nous entendons, 40 % de ce que nous entendons et pratiquons, et 80 % de ce que nous entendons, pratiquons et enseignons. Par conséquent, lorsque vous avez bien intégré une nouvelle expérience, partagez-la.

Toutefois, ne dites à personne que vous faites une démarche pour apprendre à dire oui au changement, du moins pas avant d'avoir pris un engagement ferme à cet effet et d'être heureux de votre décision. Ne laissez pas s'échapper votre pouvoir personnel. Durant les prochains jours, changez graduellement votre comportement et, surtout, observez tout le commérage qui se fait autour de vous et en vous. Notez votre tendance naturelle à vous y joindre. Voyez si vous parlez des choses au lieu de les faire. Et commencez dès lors à changer cette habitude.

Évitez le commérage et le bavardage. Si votre vis-à-vis se lance dans les médisances, éloignez-vous, changez de sujet ou demandez-lui de cesser cette pratique. Choisissez plutôt de vivre votre vie et de laisser les autres en faire autant. Suivez le sage conseil de William James : « En modifiant leurs attitudes mentales, les humains peuvent changer les éléments extérieurs de leur vie. »

Mais, surtout, laissez se déployer votre unicité et votre beauté. Communiquez différemment avec vous-même et avec les autres sur les sujets qui vous tiennent à cœur.

 Exercices

Ces exercices vous aideront à apprendre l'art de préserver votre confidentialité.

1. Au cours des prochains jours, observez le commérage qui a lieu autour de vous et en vous. Voyez de quelle manière le commérage peut

vous servir à avoir l'attention des autres, comment votre écoute passive du babillage peut vous servir à avoir leur approbation.

2. Dressez la liste des sujets les plus populaires et des différents types de commérage.

3. Décrivez les sentiments qui vous habitent lorsque vous participez au commérage. Décrivez vos sentiments lorsque vous êtes l'objet de commérage.

4. Énumérez certains de vos rêves et plans de vie. Faites la liste des choses que vous avez toujours désiré faire ou avoir, ou de ce que vous rêvez d'être.

5. Parmi les éléments qui figurent sur votre liste, choisissez ceux qui éveillent encore votre passion. Visualisez votre vie si vous deviez réaliser ces rêves. Sentez, voyez, entendez, touchez et goûtez chacun de vos rêves. Rappelez-vous que votre participation émotionnelle est capitale dans cet exercice.

6. Choisissez un rêve et créez une affirmation en conséquence. Tous les jours, aussi souvent que possible, mais à tout le moins au lever et au coucher, répétez votre affirmation et visualisez votre réussite. Surtout, gardez le secret. Laissez-le se construire. Laissez-le vous apporter l'énergie nécessaire pour vaincre les obstacles et les

résistances qui se présenteront. Écrivez votre affirmation dans votre journal de bord.

7. Enfin, suivez ce bon vieux conseil que nous répétons aux enfants : « Fais une pause, regarde et écoute avant de parler. » Cessez de réagir aux événements. Acceptez votre part des responsabilités. Écoutez les conseils de votre voix intérieure. Et, surtout, commencez par sentir et par réfléchir, voyez si ce que vous vous apprêtez à dire sera inspirant pour vous ou pour les autres. En bref, exprimez-vous de manière proactive et positive.

*Vous êtes à ce point victime de vos habitudes
qu'il vous faudra être habité d'un vif désir de changer.
En fait, vous devrez désirer vous connaître avec la même ardeur
que celui qui se noie cherche une bouffée d'air.*

LESTER LEVENSON

21

Laissez tomber vos attentes

Nos attentes. Un véritable fléau à éviter à tout prix. Une pratique dangereuse. Aussi vrai que vous êtes à lire ces lignes en ce moment, vous vous dirigez droit vers la déception et le malheur lorsque vous créez et nourrissez des attentes. Comme la nuit vient après le jour, comme l'expiration suit l'inspiration, la déception et le malheur accompagnent irrémédiablement les attentes, elles en sont le canevas et l'essence. Cette règle ne vient pas de nous, elle fait partie de la Loi de la dualité telle qu'elle est enseignée depuis des siècles par les grands mystiques, scientifiques, philosophes et enseignants de ce monde.

Que sont nos « attentes » ? C'est en quelque sorte cette tendance erronée et maladroite qui nous incite à nier ce qui est en créant l'illusion que nous pouvons délaisser notre situation actuelle — le présent — pour nous rendre là où nous désirons être ou devrions être — le futur. L'ennui avec cette technique, mis à part la difficulté évidente que représente la réalisation de ce souhait, c'est qu'elle est vouée à l'échec. Comme nous ne pouvons traverser le temps d'un coup de baguette magique, créer une attente se résume à espérer ou à souhaiter un changement. Ce souhait n'est jamais suivi d'aucune action concrète comme établir des objectifs précis et prendre les mesures nécessaires pour les réaliser ; au contraire, mais nous attendons passivement que quelque chose se produise ou qu'une personne agisse à notre place. Or, la passivité mène à la confusion et à la noirceur, rarement à la création de la vie dont nous rêvons.

Nos attentes nous emprisonnent dans un cercle vicieux. Voici comment. Pour une raison ou pour une autre, la situation actuelle vous laisse insatisfait et peu motivé. Par conséquent, vous regardez vers demain et formulez une attente, le désir que les choses soient différentes à l'avenir, plus agréables et satisfaisantes qu'elles ne le sont présentement. Au moment même de voir le jour, cette attente commence à prendre vie et à progresser. Elle se projette sur l'écran de votre vie et, très souvent, prend la forme d'une personne ou d'un événement. Alors, votre vie se déroule comme dans une salle de cinéma : le film se déroule sous vos yeux et petit à petit vous oubliez où vous êtes, vous oubliez que vous regardez un film projeté sur un écran. Vous prenez vos attentes pour la réalité. Quelle déception, quelle frustration ! Vous êtes envahi par la tristesse, la colère et le sentiment d'avoir été trahi quand vous atteignez enfin le futur, car les choses ne sont pas telles que vous les aviez imaginées ni conformes à vos espérances.

Ce moment précis correspond à votre sortie du cinéma. Vous étiez captivé par le film, mais voilà que tout s'écroule ! Vous découvrez que vous n'êtes pas le héros ou l'héroïne d'une fabuleuse aventure ou d'une grande histoire d'amour. Vous n'êtes que vous, une personne ordinaire, avec, en prime, quelques grains de maïs soufflé agrippés à vos vêtements. Vos soucis, vos défis et vos occasions de grandir refont immédiatement surface. Retour au point de départ.

C'est précisément à ce moment-là que vous réagissez habituellement. Vous êtes offensé, car la personne, l'événement ou la situation en question ne répond pas du tout à vos attentes. Vous êtes déçu ou blessé et vous l'exprimez par votre impatience, votre tristesse, votre colère, votre retrait, votre cynisme ou votre nervosité. C'est alors que le cercle vicieux se forme. Comme la personne (ou l'événement) ignorait tout de vos attentes, elle réagit à votre propre réaction et… bonjour, la galère ! Cette personne nourrissait peut-être ses propres attentes — parfaitement incompatibles avec les vôtres —, les illusions créant de nouvelles illusions, et ainsi de suite. Alors, que faire de nos attentes ?

Le pouvoir de la visualisation

Désirez-vous mettre un terme à cette habitude néfaste, vouée à l'échec et qui vous entraînera de déception en déception ? Si vous désirez vivre dans l'ouverture et réaliser vos rêves, si vous voulez accueillir, célébrer et profiter des occasions qui se présentent à vous, alors accueillez la nouveauté, soyez fasciné par l'inconnu et croyez du fond du cœur que la vie est belle et bonne. Et remplacez la réaction par l'action énergique. Bref, vous devez apprendre à vivre le moment présent, sans attente ni attachement.

Comment y parvenir ? Voici un petit guide en sept étapes :

1. Cessez de nourrir des attentes et suivez le conseil de swami Sri Yukteowar : « Je n'attends rien de personne. Ainsi, il ne peut y avoir de conflit entre l'action de l'autre et mes désirs personnels. »
2. Apprenez à accepter ce qui est.

3. Soyez le témoin.
4. Ayez de la gratitude pour tout ce que vous possédez — les aspects dits négatifs et positifs de votre vie.
5. Explorez et apprenez les enseignements que la vie vous apporte.
6. Faites la part des choses entre ce que vous désirez conserver dans votre vie et ce que vous désirez modifier. Inspirez-vous de la prière de la sérénité : « Mon Dieu, donne-moi le courage de changer les choses que je peux changer, la sérénité d'accepter les choses que je ne peux changer, et la sagesse de les distinguer les unes des autres. »
7. Enfin, l'étape la plus importante, créez une vision claire des changements que vous désirez faire et des aspirations que vous voulez réaliser dans votre vie ; créez des images précises, colorées et détaillées de cette vision.

Lorsque votre vision est au point, consacrez tout le temps nécessaire à son intégration ; faites de la visualisation et répétez-vous des affirmations qui soutiennent votre projet. Une visualisation n'est pas une rêverie vague et passive où vous vous imaginez faisant un geste, comme si vous étiez assis dans une salle de cinéma. Non. Fermez plutôt les yeux et imaginez-vous dans le film lui-même — non comme spectateur, mais comme acteur — et vivez physiquement l'action ; faites l'expérience de ce désir et de ces émotions comme s'ils étaient réels, comme s'ils se produisaient dans le moment présent.

Par exemple, imaginez-vous à bord d'un superbe voilier qui vogue sur une mer splendide en plein soleil. Sentez les jets d'eau qui vous assaillent de toutes parts. Prêtez l'oreille aux voiles qui claquent au vent ; sentez la rudesse des cordes dans vos mains. Le soleil est brûlant. Vos amis rigolent. Vous cherchez à garder l'équilibre et les muscles de vos jambes se tendent. Vous criez :

« À bâbord ! » Fermez les yeux et écoutez le vent gonfler les voiles. Sentez l'odeur de la mer. Éprouvez dans tout votre corps le mouvement des vagues, la brise, la chaleur du soleil.

Voilà ce qu'est une visualisation. C'est être là, présent. C'est être présent à une réalité nouvelle, différente. C'est permettre à tout votre corps de faire l'expérience des sensations et de l'excitation du moment présent.

Voici une autre visualisation. Imaginez que vous transpirez et que votre cœur bat la chamade. Vous êtes debout derrière le rideau et le metteur en scène donne le signal. Musique ! Applaudissements ! Éclairage ! Rideau ! Vous entrez sur la scène du Carnegie Hall. Vous êtes danseur ou danseuse. Votre corps explose dans la danse. Sentez les mains de votre partenaire, l'échine qui se courbe. Le sol vibre sous vos pas et vos muscles se bandent pour exécuter le prochain saut. Écoutez la musique. Voyez les visages attentifs qui se tendent vers vous dans la salle. Vos mouvements sont à la fois gracieux et puissants. Votre partenaire est tout aussi talentueux et présent. Quelle merveilleuse danse ! Quel moment excitant !

Voilà ce qu'est une visualisation ! Un exercice proactif et créatif, dans lequel on s'engage à fond. Un geste concret, positif et efficace. Par comparaison, l'attente est passive et on ne s'y engage pas véritablement. La visualisation, elle, est une méthode efficace parce que tous vos sens et toutes vos émotions participent activement à l'expérience. Dans votre imaginaire, vous vivez la situation comme si elle se produisait réellement dans le moment présent. Comment expliquer l'efficacité de la visualisation ? C'est que votre corps est incapable de faire la distinction entre votre imaginaire et la réalité. Fait intéressant, des recherches ont démontré que, chez les athlètes qui s'adonnent régulièrement à la visualisation, le corps réagit exactement comme s'il était en pleine action : accélération du rythme cardiaque, poussée d'adrénaline, tension musculaire, etc.

Au cours d'une séance de visualisation, votre cerveau commande littéralement à votre corps de répondre comme si vous étiez réellement dans la situation. Jumelez à votre démarche la répétition d'affirmations dirigées et l'entraînement au sport (ou à la situation) que vous désirez maîtriser, et le tour est joué — vous parviendrez à vivre l'expérience tant désirée —, parfois en un temps record. Voilà ce qu'on appelle créer ! Voilà ce que signifie participer activement à la vie, devenir l'artisan de sa propre vie !

Vous saisissez maintenant pourquoi il est si futile de se créer des attentes ? Vous êtes libre de rêver à qui mieux mieux mais, sans votre participation active à cette création, c'est peine perdue. Ne retenez pas votre souffle jusqu'à ce qu'un miracle se produise ! Or, c'est précisément ce que vous avez fait jusqu'à maintenant : retenir votre souffle, espérer et, bien sûr, aller de déception en déception, incapable de réaliser vos rêves.

Donc, vos attentes sont vouées à l'échec. Vous perdez un temps précieux. Utilisez votre temps à bon escient, mettez les voiles vers la création de votre vie rêvée, devenez actif, proactif et efficace dans votre quête du bonheur. Première étape, apprenez à être présent. Deuxième étape, soyez reconnaissant pour tout ce que la vie vous offre. Troisième étape, apprenez à participer pleinement à chaque instant de la vie. Quatrième étape, lorsque vous aurez fait la distinction entre ce que vous pouvez changer et ce que vous ne pouvez changer dans votre vie, apprenez à affirmer et à visualiser vos désirs. Accueillez les cadeaux qui se cachent dans une nouvelle expérience, un talent à exploiter, un nouveau regard sur la vie. Apprenez à apprécier l'inattendu ; à voir votre vie comme un jeu, une grande pièce de théâtre ; à briser les conventions et à lâcher prise. Laissez la vie vous dévoiler ses surprises. Après tout, le changement n'est pas seulement inévitable, il est aussi le canevas de la vie. Le changement est une loi fondamentale du monde physique.

À chaque instant, à tout moment, toute chose en cet univers physique s'ouvre ou se ferme, se contracte ou se détend, implose
ou explose, se dissout ou grandit. Rien n'est jamais statique. Le
statu quo n'existe pas. Alors, laissez la vie devenir ce qu'elle
est : une aventure imprévisible, merveilleuse, magique et trans-
formante.

Être imprévisible

Pour comprendre plus à fond la puissance et le négativisme de cette
habitude néfaste qui consiste à se créer des attentes, explorez
l'imprévisible. Brisez la routine. Une fois par jour, faites un geste
inhabituel et voyez les résultats. Portez un vêtement inattendu.
Présentez-vous lorsqu'on vous attend le moins. Proposez une activité nouvelle. Devenez le grand explorateur de votre propre vie
et une source constante de renouvellement pour vos proches.
Surprenez-vous. Mettez au rancart la routine et l'ordinaire. Refusez
de suivre le même trajet deux jours de suite. Entrez et sortez de
la maison ou du bureau par d'autres portes. Quittez la maison et
partez au hasard, en suivant votre intuition. Dormez de l'autre côté
du lit. Prenez vos repas à des heures fantaisistes. Même un
simple petit geste inhabituel sera bénéfique.

Ne cherchez pas à prévoir ce que les gens feront ou diront, à
quel moment ou de quelle façon. N'allez pas au-devant des choses
pour deviner ce qui se produira. Ce conseil vous sera très utile si
vous êtes angoissé, car l'anxiété vous pousse à créer de nouvelles
attentes négatives. N'allez pas au-devant de vos choix ; attendez le
moment de prendre cette décision, puis faites-le spontanément.
Ne vous inventez pas des histoires sur la manière dont « ils » se
comporteront ou sur l'évolution de la « situation ». Vous n'en savez
rien. Si vous le savez, cela indique que vous avez déjà créé des

attentes. Rappelez-vous. Si les choses ne sont pas telles que vous le désirez, vous pouvez soit vous attacher à vos attentes, soit faire l'expérience du changement en suivant les flots d'énergie.

Vous pouvez également explorer doucement l'acceptation. Toute personne, toute chose qui se trouve sur votre route y est pour une raison précise. Voici le plus beau cadeau que vous puissiez vous faire : changez votre regard sur la vie, voyez comme elle est parfaite et non morcelée, désirable et non tourmentée. Sachez qu'elle vaut vraiment la peine d'être vécue pleinement.

Ainsi, vous offrirez un cadeau précieux au monde : le cadeau de l'amour. La véritable communication est faite d'amour ; l'amour est fait de conscience et de respect envers les besoins, les aptitudes et les actions de l'autre — qui peuvent s'harmoniser ou non aux vôtres.

Ouvrez votre cœur et votre esprit au changement. Vous savez comment procéder, alors suivez les étapes. Donnez-vous à fond dans cette aventure, explorez l'inattendu. Prévoyez des récompenses et des punitions positives. Si vous vous surprenez à créer des attentes, imposez-vous une punition positive — une action qui vous est bénéfique mais peu agréable. Si vous êtes dans l'attente d'une réaction particulière, comme une réponse ou une récompense, prenez une profonde inspiration, ouvrez votre cœur et acceptez ce qui est. Vous voici ouvert à l'exploration, aux surprises de la vie ? Offrez-vous une récompense, surprenez-vous, traitez-vous aux petits oignons, amusez-vous. Qui sait ? Vous découvrirez peut-être que vous le méritez bien !

Exercices

Ces exercices sont efficaces. Ils vous aideront à laisser tomber vos attentes et à goûter pleinement le moment présent dans toute sa fraîcheur et son originalité.

1. Observez attentivement les moments et les situations de votre vie qui vous incitent habituellement à vous créer des attentes. Essayez de déterminer à quel moment précis vous prenez conscience de vos attentes et de quelle manière elles influencent l'évolution de la situation. Ne modifiez rien. Observez.

2. Dressez la liste de vos cinq principales attentes. Décrivez-les succinctement.

3. Décrivez les conséquences néfastes de ces attentes sur vous et votre vie. Quels sont vos sentiments ? Comment ces conséquences influencent-elles votre énergie, vos désirs, vos humeurs et votre emploi du temps ? Comment agissent-elles sur vos proches et votre entourage ? Quels résultats obtenez-vous lorsque vos attentes sont élevées ?

4. Identifiez trois ou quatre domaines de votre vie pour lesquels vous nourrissez beaucoup d'attentes dont les effets sont néfastes. Créez maintenant une affirmation et une visualisation qui modifient

ces résultats, de sorte que votre expérience vous apporte équilibre, liberté et détachement.

5. Lorsque de nouvelles attentes se présentent, agissez différemment. D'abord, reconnaissez que vous n'êtes plus dans le moment présent. Notez que vous avez des attentes dans cette situation. Examinez-les, puis devenez le témoin et non la victime de vos attentes. Identifiez toute forme d'angoisse ou de négativisme. Relevez les éléments positifs de la situation en cours. Visualisez une conclusion positive qui vous permet d'obtenir les résultats désirés tout en vous assurant que tout le monde en sort gagnant. Visualisez de nouvelles avenues qui vous permettent d'accepter les choses telles qu'elles sont et de vivre cette expérience pour en sortir grandi et enrichi. Puis, revenez au moment présent et participez activement et avec enthousiasme à votre vie.

Tout le monde peut apprendre à jouer les notes,
mais c'est entre les notes que surgit la véritable musique.

KURT SCHNABEL

22

Célébrez le silence

Nous faisons des pieds et des mains pour satisfaire nos désirs et pour devenir celui ou celle que nous rêvons d'être, dans l'espoir de combler cette soif qui nous tenaille. Nous avons tout essayé : gagner beaucoup d'argent, maigrir, rencontrer des gens, foncer, et même nous retirer. Nous avons cherché le plaisir et la satisfaction par le biais de nos relations, de notre carrière, de nos enfants, de nos loisirs, du bénévolat ou, en désespoir de cause, dans les drogues, l'alcool, le sexe, le conditionnement physique ou le rock.

Si vous acquiescez, vous admettrez sans doute que, dans presque tous les cas — sinon tous —, vos efforts impliquaient toujours quelqu'un ou quelque chose d'extérieur qui vous occupait, remplissait le temps, vous motivait et faisait souvent beaucoup de bruit. Bref, toutes les avenues empruntées à ce jour pour combler ce vide et vous satisfaire passaient rarement par le silence, seul avec vous-même.

Rappelez-vous la dernière fois où vous vous êtes retrouvé seul et heureux de l'être. Seul veut dire seul avec soi-même, sans regarder la télévision ni aller au cinéma, sans lire, sans jouer à des jeux électroniques ni envoyer des courriels, sans faire vos exercices ni écouter un disque ou faire quelque activité que ce soit. Retracez dans vos souvenirs la dernière fois où vous vous êtes retrouvé seul, sans aucun contact humain et sans le moindre bruit, isolé de la civilisation pour quelques heures ou quelques jours.

Rester fidèle à soi-même

Comme la majorité d'entre nous, vous avez sans doute bien du mal à retracer ce moment. Peut-être n'avez-vous jamais fait cette expérience. Ou alors le silence et la solitude vous ont un peu effrayé. Nous pouvons même supposer que le simple fait de lire sur le sujet suffit à vous mettre mal à l'aise.

Cherchez-vous à savoir pourquoi ? Vous arrive-t-il de vous demander ce qu'il y a, dans la solitude et la tranquillité, qui vous dérange au point de chercher à combler le temps et l'espace à grands coups de distractions ? Et si quelque chose dans le silence était là à vous attendre — quelque chose d'important, quelque chose que vous recherchez depuis toujours. Mais, voilà, vous craignez de ne pas savoir comment vous y prendre.

Mais quel est donc ce « quelque chose » ? Nous pourrions peut-être trouver réponse à cette question en consultant les messages des plus grands enseignants, mystiques, saints et guides spirituels de tous les temps. « Connais-toi toi-même », disent-ils. « Restez fidèle à vous-même. » Mais comment acquérir cette connaissance, si ce n'est par le silence ? Après tout, nous avons essayé tout le reste, mais en vain ; et nous savons pertinemment que ce n'est pas dans le bruit et la fureur que nous trouverons cette connaissance.

Alors, comment passer d'une vie supersonique, d'un quotidien débridé à une vie comblée faite de paix, de contentement et d'harmonie ? Comment se détourner de toutes ces distractions, de cet attrait de « l'extérieur » pour atteindre la paix, la plénitude et le contentement ?

Pour commencer, utilisez les stratégies que nous vous avons présentées jusqu'à maintenant. Voyez combien de temps et d'énergie vous consacrez à créer un environnement sonore bruyant autour de vous. Surtout, ne négligez pas cette étape. Regardez la vérité en face sans compromission. Au cours de la prochaine semaine, observez tout le bruit qui vous entoure et qui fait rage en vous.

Seul avec soi-même

Lorsque vous aurez découvert ce qu'il en est réellement, et si vous désirez explorer de nouvelles avenues, voici la deuxième étape : pendant environ une semaine, passez quinze minutes par jour en tête-à-tête avec vous-même. Arrêtez tout — réduisez le volume du téléphone, du répondeur et de la musique, fermez la porte, éteignez la télé, rangez les livres, demandez à vos proches de ne pas vous déranger et, au besoin, mettez-vous des bouchons dans les oreilles. Puis, asseyez-vous confortablement et passez un quart d'heure avec vous-même. Gardez les yeux fermés ou ouverts, selon votre désir, mais évitez toute distraction. L'important est d'être seul avec vous-même.

Certains vivront cette expérience avec beaucoup de facilité, d'autres y verront un défi insoupçonné. Vous découvrirez peut-être que tout ce tapage extérieur correspond à une véritable cacophonie mentale. Mais peu importent vos découvertes, vous apprendrez énormément de cette expérience. Et, de grâce, qu'elle soit facile ou difficile, ne la laissez pas tomber.

Pendant cette période de quinze minutes, nous vous proposons d'utiliser quelques techniques pour faire taire le mental et rester en contact avec le corps. La respiration vous sera d'un grand secours. Respirez profondément, observez votre souffle qui entre et qui sort. Concentrez-vous sur vos sensations corporelles. Que ressentez-vous? Prêtez attention aux sons, aux odeurs. Il est possible que vous vous sentiez baigné de lumière. Laissez cette lumière vous entourer et vous pénétrer. Bref, soyez présent. Ensuite, augmentez la durée de ces tête-à-tête. Choisissez le jour et l'heure. Trente minutes par jour, confortablement installé sur une chaise, dans une posture qui vous permet de rester alerte. Fermez les yeux, observez et écoutez de l'intérieur. À l'occasion, passez ces trente minutes dans la nature, en marchant ou en contemplant le monde. Ce qui importe réellement, ce n'est pas d'avoir les yeux ouverts ou fermés, ni d'être à l'intérieur ou à l'extérieur, mais bien de respecter cette promesse de passer ce temps seul avec vous-même en silence, tous les jours.

Pendant ce temps de silence, apprenez à éloigner votre attention de toutes ces pensées qui vous assaillent. Pour vous y aider, concentrez-vous sur un objet que vous aurez placé devant vous. Examinez-le en détail. Cherchez à le connaître à fond. Puis fermez les yeux et essayez de le voir mentalement. Évidemment, plus cet objet sera agréable à contempler, plus cet exercice sera plaisant.

Si vous êtes perdu dans vos pensées, ne vous en faites pas. Ramenez simplement votre attention sur l'objet. De temps à autre, rouvrez les yeux et examinez-le à nouveau. Refermez les yeux et imaginez-le mentalement encore une fois. Répétez cela jusqu'à ce que vous puissiez le voir mentalement avec précision, comme si vous aviez les yeux ouverts.

Lorsque vous aurez atteint une certaine maîtrise, choisissez un objet plus complexe, par exemple une boîte entrouverte. Dans votre image mentale, placez-vous à l'intérieur de la boîte et regardez vers l'extérieur. Puis, voyez-vous sous la boîte, et à côté d'elle. Devenez l'extérieur de la boîte et, en fermant cette boîte, refermez l'espace à l'intérieur de vous.

Ensuite, concentrez-vous sur une autre partie de la pièce. Sans bouger le corps, ramenez votre attention à nouveau vers l'objet. Maintenez constamment en mouvement un flux d'énergie entre votre objet et le centre de votre cerveau. À un moment donné, vous aurez peut-être la sensation d'être aux deux endroits en même temps. Il se peut que vous ayez la sensation d'être effectivement « là » où se trouve l'objet et de vous observer vous-même, assis sur votre chaise à l'autre bout de la pièce.

Poursuivez ces exercices de trente minutes par jour pendant au moins un mois. Après cela, et seulement lorsque vous serez prêt, passez à l'étape suivante.

Au-delà de l'imagerie mentale

Les prochaines étapes sont des exercices d'imagerie mentale, de concentration et de méditation. Mais, contrairement à certaines approches méditatives, nous ne cherchons pas à calmer le mental de manière passive, ce qui pourrait sembler ennuyeux, voire impossible pour plusieurs. Notre méditation est un prolongement de l'exercice d'imagerie mentale que nous venons de terminer. C'est une démarche active et engagée qui vous permettra d'éveiller et de maîtriser votre niveau de conscience.

Grâce à ces exercices, vous plongerez intimement et profondément dans l'expérience et la vérité de cet énoncé : « Nous devenons ce que vous pensons. » Concentrez-vous sur votre respiration et lorsque vous serez bien ancré dans le moment présent, dirigez votre attention sur une qualité positive et constructive associée à

Dieu, par exemple la grâce, la bonté, la paix, la clarté, la confiance et la vérité. Ou encore, concentrez-vous sur l'un des nombreux noms de Dieu, par exemple Om, Hu ou Anihu. Se concentrer signifie faire l'expérience du nom divin pour devenir un avec lui. Laissez ce nom vous remplir et vous entourer. Par moments, vous aurez du mal à calmer le flot de vos pensées, comme pendant l'exercice d'imagerie mentale. Parfois, vous serez distrait en raison de douleurs physiques, d'inconforts ou d'autres sensations corporelles. Ou vous serez obsédé par les travaux qui vous attendent. Bien sûr, tous ces besoins vous sembleront terriblement urgents. En d'autres mots, il n'est pas facile de maîtriser le mental, mais, plus vous vous exercerez et apprendrez à observer tout à la manière d'un témoin, plus vous découvrirez que vos pensées et votre agitation sont comme les nuages dans le ciel : elles sont là, mais leur présence ne vous gêne plus.

Libre à vous d'avoir recours aux techniques de concentration de votre choix. Pour obtenir les résultats recherchés, l'important est de vous engager à fond et de prendre la ferme résolution de ne laisser aucune distraction, intérieure ou extérieure, interrompre ce rendez-vous avec vous-même. Et voici une autre clé d'or : vous découvrirez que certains objets, certains attributs ou certains noms de Dieu vous inspireront plus que d'autres. Soyez attentif à ce phénomène. Il est dit que ce sur quoi nous portons toute notre attention sans interruption ne pourra jamais être perdu. Alors, choisissez des mots et des états de conscience qui sont très importants à vos yeux et goûtez la merveilleuse expérience que ces états vous font vivre. Si votre mental se met à faire du grabuge, ramenez votre attention sur le mot ou le nom choisi et sur votre expérience.

Après un certain temps, changez de mot ou d'expérience. Il est aussi possible que ce mot soit remplacé par un état de paix et de quiétude. Si les pensées continuent à vous assaillir, en particulier celles qui concernent les tâches qui vous attendent, notez-les rapidement. Votre mental saura alors que vous avez enregistré l'information et il vous permettra de ramener votre attention sur la méditation en cours.

Si vous suivez ces conseils avec soin, patience et diligence, il y a de fortes chances que votre vie en soit transformée. Les changements seront subtils au début, mais, si vous maintenez vos séances d'imagerie mentale et de contemplation, la « connaissance » s'éveillera et s'installera. Vous goûterez à cette abondance intérieure — la joie, l'estime et la valorisation de soi. Sans parler des conseils et des suggestions qui ne manquent pas de surgir au cours de la méditation. Si vous faites confiance à votre voix intérieure et si vous exécutez ses conseils avec la ferme intention d'agir uniquement pour votre plus grand bien et pour celui des autres, alors cette action vous conduira naturellement vers l'étape suivante.

N'oubliez pas. Passez un peu de temps seul avec vous-même, jour après jour. Vous apprendrez ainsi à vous connaître en profondeur. Et, qui sait ? vous percerez peut-être le mystère de cet énoncé : « Apprends la vérité et la vérité te libérera. »

 Exercices

Ces exercices seront comme des fenêtres dans votre vie. Ils vous permettront aussi de recevoir les cadeaux précieux qui vous attendent dans le silence.

1. Au cours de la prochaine semaine, soyez attentif à tout ce bruit qui vous entoure. Notez votre grande tolérance à cette cacophonie. Identifiez

la source du bruit. Vient-il de vous ou de l'extérieur? Notez vos observations dans votre journal de bord.

2. Restez seul avec vous-même pendant quinze
minutes, une fois par jour. Faites taire toutes les
sources potentielles de distraction — téléphone,
répondeur, télévision, etc. Demandez à vos proches de ne pas vous déranger. Notez ensuite vos
observations et vos découvertes du jour.

3. Fixez le jour où vous augmenterez la durée de
vos séances d'imagerie mentale, passant de
quinze à trente minutes par jour. Assoyez-vous
confortablement, dans une position qui favorise
la vigilance. Fermez les yeux, observez et écoutez ce qui se passe en vous. Laissez passer les
pensées qui se bousculent. Rappelez-vous que
vous pouvez y parvenir en ouvrant les yeux et en
fixant un objet placé devant vous. Regardez cet
objet avec attention. Apprenez à le connaître
en détail, puis fermez les yeux et laissez apparaître mentalement l'image de cet objet.

4. Concentrez-vous sur votre respiration et sur les
qualités associées à Dieu. Notez vos observations
et vos découvertes. Si ces exercices d'imagerie
mentale et de méditation vous sont bénéfiques,
adoptez-les.

L'idiot est heureux lorsqu'il a satisfait ses pulsions.
Le guerrier est heureux sans raison.
C'est pourquoi le bonheur est l'ultime discipline.
DAN MILLMAN

23

Ne prenez (presque) rien au sérieux

Nous le savons, la plupart d'entre nous consacrent un temps fou à résister au changement et à s'en faire. Tout nous inquiète — la mort, la naissance, les mariages, le premier rendez-vous amoureux de notre enfant, les impôts, un nouvel emploi, l'attente d'une décision, le vieillissement, les disputes, etc. Quand ce n'est pas l'angoisse qui nous guette, c'est le déni, l'évitement, et nous faisons de notre mieux pour nier ou contourner les événements et les changements pourtant inévitables qui jalonnent notre vie.

Pourquoi toute cette bataille ? Pourquoi prenons-nous tout trop au sérieux ? Voici une hypothèse : la raison ou l'objet de notre attitude a peu d'importance ; ce qui importe vraiment, c'est notre esprit sérieux. Après tout, notre angoisse et notre attitude nous tiennent fort occupés et rien ne peut plaire davantage à notre ego que d'avoir beaucoup à faire.

Un emploi à temps plein

Pour bien des gens, prendre les choses au sérieux est devenu un emploi à temps plein. Et toute tâche devient vite compliquée lorsqu'elle nous inquiète. Ainsi, il suffit d'une toute petite pensée presque insignifiante ou vaguement inquiétante pour que, sans l'aide de personne, nous nous emballions. Nous échafaudons alors, en un temps record, un organigramme démentiel où Inquiétude, Doute, Stress, Exagération, Anxiété, Distraction, Obsession, Souffrance et Peur sont liés.

Selon nous, l'esprit sérieux contribue largement à toutes sortes de troubles — sautes d'humeur, diarrhée, pieds plats, obésité, perte d'appétit, incapacité de sourire, frigidité, mauvaise haleine, verrues, rides, divorce, laideur et pellicules. Notre discours commence à ressembler à celui d'un charlatan ? Pardonnez-nous, mais une toxine est à la source de ces malaises, de ces maladies et de ces souffrances. Nous croyons que la présence de cette toxine est largement attribuable à une attitude : prendre tout trop au sérieux.

Sous l'esprit sérieux se cache un esprit pompeux. Cette attitude est synonyme de limitation et d'arrogance. Elle vient directement de l'ego et nous conduit souvent à la stupeur et à la paralysie. Pour tout dire, un esprit sérieux est désagréable, indésirable et parfaitement injustifié.

Alors, pour quelle raison sommes-nous si nombreux à prendre les choses trop sérieusement, à tout moment ? Nous vous avons déjà donné quelques explications mais, pour tout dire, cette attitude est si bête qu'on ne peut trouver de réponse satisfaisante à cette question. Tiens, nous pourrions nous inquiéter de notre incapacité à vous répondre ! Et prendre la chose bien au sérieux, tomber dans le piège de l'angoisse et affirmer, sans équivoque, que la cause est d'ordre psychologique ou émotionnelle, physiologique ou inconsciente ; ou qu'il s'agit d'une réaction à une vie sexuelle débridée ou inactive, à un collier trop serré ou même à la température. Mais nous ne voulons surtout pas prendre la situation trop au sérieux. Contentons-nous de dire que ce problème, fort répandu, ressemble à s'y méprendre à celui de ces anciennes tribus qui croyaient dur comme fer que leur coin de pays était le centre de l'Univers.

En d'autres mots, nous avons la conviction d'être le nombril du monde. Nous sommes très importants ! Tellement que nous devons le prouver en nous montrant plus sérieux que les gens « moins importants » que nous. Or, cela fait de nous des gens « vraiment très importants », ce qui nous incite à être encore plus sérieux, et ainsi de suite, jusqu'à ce que mort s'ensuive. Nous tombons tous, un jour ou l'autre, dans le piège de cette fausse croyance selon laquelle « sérieux » serait synonyme de « bonté », et parfois même de « divinité ».

Les dieux s'amusent

Mais, croyez-nous, l'esprit sérieux n'a rien de divin. Il est plutôt grotesque ; mais peut-être s'agit-il simplement de mutisme… Après tout, on ne parle jamais de l'esprit sérieux des dieux ! Mais on parle souvent du rire des dieux. Et pourquoi pas ? Les dieux savent bien que tout cela n'est qu'un jeu, mais un jeu qui en vaut la chandelle. Alors ils nous laissent à nous, les humains, les jeux moins amusants, comme jouer à être sérieux. Les dieux savent que la vie est une grande comédie cosmique, une expérience, une aventure, une chasse aux trésors. C'est comme une expérience théâtrale, formidable peut-être, mais c'est tout de même une comédie qu'il ne faut pas confondre avec la réalité. Ils savent que chaque être humain tient de multiples rôles, de la sorcière à l'héroïne, du scélérat au héros. En fait, les dieux savent aussi que nous interpréterons une multitude de rôles différents dans une multitude de vies terrestres.

Alors, qu'est-ce qui peut inciter des gens intelligents à prendre tant au sérieux un seul de ces petits rôles ?

Malgré toute notre sagesse, nous oublions trop souvent que le rire a le pouvoir de guérir ; il unit, simplifie et purifie. Le rire transporte l'oxygène au cerveau, littéralement. Alors souriez, riez. Sentez l'énergie qui monte et vous revivifie. Laissez le rire vous rappeler de dire oui au changement.

 Exercices

Voici des exercices qui vous feront rire ou à tout le moins sourire. Ils sauront alléger vos épaules et vous redonner le pied léger.

1. Au cours des prochains jours, ou jusqu'à ce que vous obteniez des résultats, soyez attentif à toutes les choses que vous prenez trop au sérieux. Voyez si vos proches en font autant. Notez de quelle manière cette attitude vous permet d'affirmer votre importance. Observez les personnes « importantes » et voyez comme elles sont sérieuses. Vérifiez votre tendance à adopter une attitude sérieuse lorsque vous devez courir un risque, relever un défi ou faire une chose que les gens jugent importante. Lorsque vous prenez les choses au sérieux, voyez-vous des changements dans votre respiration, dans votre bien-être corporel et, surtout, dans votre capacité à demeurer présent et à participer activement à la situation ? Notez vos observations.

2. Dressez la liste des choses que vous prenez trop au sérieux.

3. Repassez en revue cette liste. Associez à chaque élément un aspect ironique, absurde, ridicule, bête ou comique. Si vous avez du mal à déceler l'aspect humoristique d'une situation, utilisez la « technique de l'observation ». Visualisez la situation et, à la manière d'un humoriste, faites entrer en scène un nouvel élément comique. Imaginez que la personne que vous prenez au sérieux glisse sur une peau de banane. Ajoutez une musique de circonstance. Un chien entre soudainement dans le décor ; il s'approche de cette personne et marque son territoire… sur ses chaussures. Bref, trouvez une façon de tourner les choses au ridicule pour les alléger. Et n'oubliez pas d'en rire. Souriez devant la bêtise humaine, riez de l'absurde, émerveillez-vous devant la vie. Mais attention ! nous n'affirmons pas que tout doit être tourné au ridicule ou pris à la légère. Il nous arrive, de fait, de traverser des événements tragiques et profondément troublants. Nous disons simplement ceci : lorsque vous en avez l'occasion, essayez de vivre le quotidien en prenant les choses du bon côté et avec le sourire.

    Notez vos observations dans votre journal de bord.

4. Faites-vous une promesse, celle de regarder autour de vous afin de voir les choses comiques, ironiques et ridicules qui se produisent dans vos activités quotidiennes. De plus, prenez la décision de laisser tomber cette croyance selon laquelle vous êtes important lorsque vous êtes sérieux. Commencez à jouer avec ce concept et à faire des expériences en ce sens, tous les jours.

Joignez-vous à ces êtres formidables qui, grâce à leur bonté,
font naître l'abondance dans les lieux stériles de notre planète.
Portez une vision céleste au fond de votre âme, et votre maison,
votre école, votre monde en seront le fidèle reflet.

HELEN KELLER

24

Soyez le véhicule de la grâce

Nous avons exploré et pratiqué une série d'approches et de techniques qui, nous l'espérons, vous aideront à dire oui au changement. Voici maintenant une méthode visant à affiner et à aiguiser votre niveau de conscience. Suivez nos conseils et, comme une mélodie à la harpe, vous véhiculerez la grâce dans votre vie.

Dans les chapitres 14 et 17, nous vous suggérions de vous libérer de vos habitudes ainsi que des règles et des conventions pour adopter un comportement spontané, inattendu et imprévisible. Et nous ajoutions que Dieu ne se soucie guère de vérifier si vous avez bien croisé vos jambes, placé le couteau à droite, exhibé vos multiples marques de politesse. Bref, nous vous avions poussé à briser les conventions.

Ce qui suit vous semblera sans doute contradictoire. Mais nous n'en sommes pas à une contradiction près ! Nous vous proposons maintenant de plonger tête première dans l'art de dire oui au changement en vous créant une vie merveilleuse et agréable pour en faire une expression permanente de beauté et de grâce. Nous avons

l'audace de vous inviter à rassembler vos nouvelles découvertes —
émerveillement, énergie et pouvoir personnel — pour les diriger
vers un but ultime : devenir un être pleinement compétent, majestueux, coulant comme rivière, en harmonie avec tout ce qui est.

Oui, voilà votre tâche. Devenir une véritable œuvre d'art.
Mettre tant d'amour et de présence dans chacune de vos paroles,
chacun de vos gestes, chacune de vos pensées que vous en deviendrez le maître, l'artisan. Votre rôle consiste à exprimer la beauté, la
grâce, l'élégance et le mystère dans vos moindres faits et gestes.
À élever la féminité chez toute femme, la masculinité chez tout
homme ; puis à dépasser ces attributs pour aller au-delà. Vous êtes
comme une harpe : modelez votre instrument avec soin et vos créa-
tions s'en échapperont, semant autour de vous de merveilleuses
et divines harmonies.

Le plus grand de tous les défis

Rappelez-vous que le but recherché n'est surtout pas d'impression-
ner la galerie ni de dénigrer les représentants du sexe opposé. Il ne
s'agit pas de manipuler ou d'écarter votre voisin. En vérité, vous
cherchez simplement à honorer la vie et à relever le plus grand défi
— vivre pleinement le moment présent, célébrer et explorer les
splendeurs du changement.

En toutes circonstances, même lorsque tout vous semble insi-
gnifiant — la situation, l'action ou l'échange en cours —, donnez-
vous entièrement à ce qui est. Agissez comme si vous étiez l'hôte
ou l'hôtesse d'une divinité. Imaginez que, dans cet échange, vous
servez Dieu, littéralement, et que vous le faites avec tout votre
amour. Agissez avec une infinie tendresse, une élégance et un amour
sans bornes, toujours avec une pincée d'humour. Devenez
l'instrument de la grâce, divine et humaine. Adoptez cette seule
règle et faites-en votre guide.

Exercices

1. Observez-vous, regardez le monde qui vous
    entoure. Ce que vous faites et ce que vous expé-
    rimentez est-il dépourvu de grâce, de raffinement
    et d'excellence? Notez votre présence ou votre
    absence au cours de ces expériences. Pour être
    plus présent à ce qui est, souvenez-vous de res-
    pirer profondément et d'être à l'écoute de vos
    sentiments. Notez vos observations et vos émo-
    tions dans votre journal de bord.

2. Passez en revue les domaines de votre vie (rela-
    tions, travail, amitiés, loisirs, etc.) et identifiez
    ceux où vous pourriez vous exprimer avec plus
    de grâce et d'élégance.

3. Pour chacun de ces domaines, notez au moins
    une action que vous pourriez entreprendre pour
    ajouter grâce et élégance à votre vie et à celle
    de votre entourage.

4. Créez une affirmation et une visualisation pour
    chacun de ces domaines. Continuez à faire ces
    exercices au quotidien et voyez votre vie se trans-
    former.

5. Faites-vous cette promesse : « Dans tout ce que j'entreprends, dans chacune de mes relations, dans toutes mes expériences, je ferai en sorte de laisser les choses en meilleur état. » Autrement dit, ajoutez grâce et beauté à chaque moment de votre vie.

*Toute chose, toute personne est un instrument individuel
dont l'Esprit se sert pour penser, parler, agir et se révéler.
Nous sommes liés dans un accord, un but et un intérêt
communs. Nous sommes tous membres d'un immense
orchestre cosmique : chaque instrument vivant est essentiel
à la complémentarité et à l'harmonie de l'ensemble.*

J. ALLEN BOONE

25

Honorez le divin

Chaque instant de notre vie est décisif. À tout moment, nous avons le choix de mettre notre temps, notre énergie et nos merveilleux talents — connus ou inconnus — au service de ce qui est unique et extraordinaire. Nous pouvons profiter de ces occasions pour ouvrir notre esprit et notre cœur au changement, ou nous pouvons prétendre que rien n'existe, mis à part l'ordinaire, le connu et le fini. Nous pouvons choisir de découvrir et d'explorer le moment présent et ses formidables trésors, ou demeurer captifs de nos croyances, de notre passé, de nos limites et croire que la vie n'est que déceptions. À chacun de choisir : prétendre que nous sommes seuls au monde, rien de plus qu'un simple effet du hasard dans un univers strictement biologique ; ou admettre avec sérénité que la seule raison de notre passage sur terre est d'exprimer et de célébrer l'esprit et l'essence même de Dieu.

Dans certains segments de cet ouvrage, nous avons vu de quelle manière surgissent les omissions et les déformations de la réalité lorsque nous résistons au changement et prétendons que la vie nous est imposée. Voyons maintenant ce qui peut se produire lorsque nous laissons tomber nos dernières restrictions et nos prétentions pour accueillir avec enthousiasme le changement et vivre dans le seul but de célébrer et d'exprimer notre divinité.

Ne croyez-vous pas qu'il est temps d'y voir ? Comme le disait si bien T. S. Eliot, il est temps « d'arriver à notre point de départ et de le *re-connaître* réellement pour la toute première fois ».

Ne pas croire mais savoir

Imaginez ! Savoir sans le moindre doute ! Pas de projection, pas d'analyse, pas de théorie. Non pas faire des hypothèses, ressentir, éviter ou avoir la foi, non — savoir, tout simplement. Savoir enfin qui nous sommes, savoir qu'il existe une force qui unifie tout ce qui est, une force qu'on appelle Dieu ; savoir que nous sommes liés à cette force et que nous sommes son expression dans le monde physique.

Après tout, la connaissance est inévitable et essentielle. C'est là notre ultime défi, le plus important d'entre tous, sur le chemin qui nous conduit vers notre pouvoir personnel d'homme ou de femme.

Fait remarquable, chacun connaît l'issue de ce défi. Nous devinons que ce haut savoir et cette compréhension du monde sont la raison ultime de notre long détour sur la terre.

Donc, voici le défi, la requête, la demande formelle que nous formulons pour nous et pour les autres. Enlevons nos masques et cessons de jouer aux devinettes. Nous avons exécuté tous les pas de danse. Nous avons mis tant de temps à parcourir tous ces corridors qui ne mènent nulle part ou qui débouchent sur l'illusion et la souffrance. Nous avons utilisé toutes les tactiques d'évitement et tous les détours. Nous voici enfin arrivés au seuil de notre propre éternité.

L'essence de Dieu

Nous sommes des hommes, nous sommes des femmes. Nous sommes des êtres humains. Le moment est venu de le reconnaître — une fois pour toutes. Nous sommes aussi une partie intrinsèque de Dieu, l'essence même de Dieu.

Examinez bien ce mot qui nous décrit, regardez-le avec soin : « Humain. » Il se compose de deux parties, « hu » et « main ». « Hu » est un mot sanscrit, c'est l'un des innombrables noms de Dieu. Combinez les deux et vous obtenez : « Main de Dieu. » Main qui se tend et qui se pose sur le monde physique afin de manifester, d'exprimer et de célébrer la divinité.

Voilà pourquoi nous considérons que l'étape suivante est, à l'instar du changement, inévitable. Nous croyons que, depuis l'aube des temps, nous marchons vers notre propre illumination. Nous parvenons maintenant au seuil de cette étape qui consiste à admettre cette vérité et à permettre qu'il en soit ainsi. Comment et quand franchirons-nous cette étape ? Cette décision nous appartient personnellement : tout relève de nous et de l'image de Dieu que nous portons au fond de notre âme.

À cette étape, la seule suggestion que nous puissions formuler est la suivante : abordons chaque instant de notre vie — peu importe sa signification, son importance et sa durée — avec un regard neuf et utilisons-le pour découvrir, exprimer et célébrer notre magnificence et notre splendeur, c'est-à-dire ce que nous sommes réellement, l'essence même de Dieu. Que nous tenions dans nos mains une magnifique rose ou la mouture du café d'hier, Dieu est là. Peu importe ce qui est, l'amour ou la haine, l'étrange ou le connu, lorsque nous appliquons cette unique règle — Dieu existe en toutes choses —, alors notre vie devient spectaculaire et dépasse nos rêves les plus fous.

Par conséquent, faites un choix conscient, celui de marcher avec tous ces gens vers la lumière, en quête du pouvoir sur leur vie et de plus de satisfaction. Prenez cette habitude : voyez l'esprit et l'essence de Dieu en toutes choses. Faites-le avec amour et soyez extrêmement attentif. Faites-le avec tendresse et dévotion. Mettez-y toute votre joie.

Mais avant tout, amusez-vous lorsque vous mettez en pratique nos suggestions. Amusez-vous sur le chemin de votre vie. N'oubliez pas : laissez derrière vous un monde meilleur, traitez avec soin chaque personne et chaque objet que vous croisez sur votre route. Souvenez-vous que le souffle divin se trouve dans chacune de vos respirations. Dites oui au changement qui se déploie à l'infini dans votre vie.

Suggestions de lecture

Pour ceux et celles qui désirent explorer plus à fond certains thèmes que nous avons abordés, voici une liste partielle de nos ouvrages de prédilection. Nous les avons divisés en diverses catégories ; toutefois, l'ordre de présentation n'est nullement associé à l'importance de chaque ouvrage. Évidemment, nous avons omis un grand nombre de publications qui nous ont touchés et influencés au fil des ans, mais vous trouverez sûrement de petits bijoux dans les ouvrages que nous vous proposons.

Nos autres publications

God Ain't No Gentleman, par George A. et Sedena C. Cappannelli.
It's About Time, par George A. Cappannelli.
Keys to the Ultimate Freedom: Thoughts and Talks on Personal Transformation, par Lester Levenson, publié par George A. Cappannelli.
Lessons From Our Fathers & Mothers, par George A. et Sedena C. Cappannelli.
Mastering the Game, par George A. et Sedena C. Cappannelli.
Old Stones & Promises, par George A. Cappannelli.

Portable Self-Enhancement Program : Portable Chi Kung for Balance for Your Mind, Body and Spirit, par Sedena C. Cappannelli.

Croissance personnelle et périodes de transition : romans et documents informatifs

L'alchimiste, par Paulo Coelho.
Au bord de la rivière Piedra je me suis assise et j'ai pleuré, par Paulo Coelho, Livre de poche, 2002.
C. G. Jung and Herman Hesse : A Record of Two Friendships, par Miguel Serrano, traduit en anglais par Frank MacShane.
Conversations avec Dieu, par Neale Donald Walsch, Flammarion, 2000.
Divân-e Shams-e Tabriz, par Djalâl-od-Dîn Rumi, « Odes Mystiques », traduction partielle, Klincksieck, Paris, 1973.
Embracing the Beloved Relationship as a Path of Awakening, par Stephen et Ondrea Levine.
Être heureux, ce n'est pas nécessairement confortable, Thomas d'Ansembourg, Montréal, Les Éditions de l'Homme, 2004.
Éveillez l'énergie curative du Tao, par Mantak Chia et Maneewan Chia, Trédaniel, 1994.
Flow : The Psychology of Optimal Experience, par Mihaly Csikszentmihalyi.
I Am That, par Nisargadatta Maharaj.
L'invitation, par Oriah Mountain Dreamer, Éditions Logiques, 2000.
Ishmael, par Daniel Quinn.
J'ai tout appris quand j'étais petit : réflexions peu communes sur des choses ordinaires, par Robert Fulghum, Laffont, 1990.
Mutant Message Down Under, par Marlo Morgan.
Open Heart : Practicing Compassion in Everyday Life, par le Dalaï Lama.
Le pèlerin de Compostelle, par Paulo Coelho, Livre de poche, 1998.

Le pouvoir du moment présent, par Eckhart Tolle, Ariane, 2000.

La prophétie des Andes, par James Redfield, Laffont, 1994.

Providence : The Story of a Fifty-year Vision Quest, par Daniel Quinn.

Les quatre accords toltèques : la voie de la liberté personnelle, par Miguel Ruiz, Jouvence, 1999.

Qui meurt ? Une investigation du processus conscient de vivre et mourir, par Stephen Levine, Souffle d'or, 1991.

Seat of the Soul, par Gary Zukav.

Le soin de l'âme, par Thomas Moore, Rocher, 1996.

Solitude face à la mer, par Anne Lindbergh, Pocket, 2003.

S'ouvrir à l'amour et au bonheur, par Miguel Ruiz, Jouvence, 2003.

Un retour à l'Amour, par Marianne Williamson, Roseau, 1993.

Using Your Brain for a Change, par Richard Bandler.

La vie vaut la peine d'être vécue, par Bo Lozoff, Montréal, Éditions de l'Homme, 2002.

The Valkyries : An Encounter With Angels, par Paulo Coelho.

La Voie du guerrier pacifique, par Dan Millman, Vivez Soleil, 1985.

L'ensemble de l'œuvre de Carlos Castaneda.

L'ensemble de l'œuvre de T. S. Eliot.

L'ensemble de l'œuvre de Herman Hesse.

L'ensemble de l'œuvre de Henry Miller.

L'ensemble de l'œuvre de Anaïs Nin.

L'ensemble de l'œuvre poétique de Rumi.

Les hommes, les femmes et la psychologie

Art Spirit : Notes, Articles, Fragments of Letters and Talks to Students, Bearing on the Concept and Technique of Picture Making, the Study of Art Generally, and on Appreciation, par Robert Henri.

Le calice et l'épée, par Riane Tennenhaus Eisler, Laffont, 1987.

Choice of Heroes: The Changing Faces of American Manhood, par Mark Gerzon.

Coming Into Our Own: Understanding the Adult Metamorphosis, par Mark Gerzon.

Le drame de l'enfant doué, par Alice Miller, P.U.F., 1983.

Enfants du Verseau, par Marilyn Ferguson, Flammarion, 2002.

Femmes qui courent avec les loups: Histoires et mythes de l'arché-type de la Femme sauvage, par Clarissa Pinkola Estés, Grasset, 1996.

Fire in the Belly: On Being a Man, par Sam Keen.

Getting the Love You Want: A Guide for Couples, par Harville Hendrix.

He: Understanding Masculine Psychology, par Robert A. Johnson.

Hero Within: Six Archetypes We Live By, par Carol S. Pearson.

Hymns to an Unknown God: Awakening the Spirit in Everyday Life, par Sam Keen.

Invisible Partners: How the Male and Female in Each of Us Affects Our Relationships, par John A. Sanford.

Iron John: A Book About Men, par Robert Bly.

Knights Without Armor: A Practical Guide for Men in Quest of Masculine Soul, par Aaron R. Kipnis.

Making Contact, par Virginia Satir.

Meeting the Madwoman: An Inner Challenge for Feminine Spirit, par Linda Schierse Leonard.

Meeting the Shadow: The Hidden Power of the Dark Side of Human Nature, publié par Jeremiah Abrams et Connie Zweig.

Les monologues du vagin, par Eve Ensler.

Naked at Gender Gap: A Man's View of the War Between the Sexes, par Asa Baber.

She: Understanding the Feminine Psychology, par Robert A. Johnson.

Souvenirs, rêves et pensées de C. G. Jung, recueillis par Aniela Jaffé, Gallimard, 1985.

To Be a Woman, par Connie Zweig.

We : Understanding the Psychology of Romantic Love, par Robert A. Johnson.

Wisdom of Women, publié par Carol Sponard LaRusso.

Wouldn't Take Nothing For My Journey Now, par Maya Angelou.

L'ensemble de l'œuvre de Carl C. Jung.

Métaphysique

Les âmes sœurs, par Thomas Moore, Le Jour, éditeur, 1995.

Annalects of Confucius, traduit en anglais et annoté par Arthur Waley.

L'art d'aimer, par Erich Fromm, Desclée de Brouwer, 1996.

Crown of Life, par Kirpal Singh.

L'homme et ses symboles, par Carl G. Jung, Laffont, 1998.

Joyeuse cosmologie, par Alan Watts, Fayard, 1971.

Le livre des morts tibétain.

Le mythe de la liberté, par Chogyam Trungpa, Seuil, 1979.

La première et dernière liberté, par J. Krishnamurti, Livre de poche, 2002.

La puissance du mythe, par Joseph Campbell, Flammarion, 1997.

The Seamless Web, par Stanley Burnshaw.

Secret of the Golden Flower.

The Secret Teachings of All Ages, par Manly P. Hall.

Se libérer du connu, par J. Krishnamurti, Livre de poche, 2002.

Le soin de l'âme, par Thomas Moore, Rocher, 1996.

Tao Te King, Le livre de la voie et de la vérité, par Lao Tseu, Le Rocher.

The Tibetan Book of the Great Liberation.

L'ensemble de l'œuvre de Meister Eckhart.

L'ensemble de l'œuvre de Krishnamurti.

L'ensemble de l'œuvre d'Alan Watts.

La gestion, les affaires et l'éthique

Boundaryless Organization : Breaking the Chains of Organizational Structure, par Ron Ashkenas et autres.

Comment s'entourer de gens extraordinaires, Lillian Glass, Montréal, Éditions de l'Homme, 2004.

Credibility : How Leaders Gain and Lose It, Why People Demand It, par James M. Kouzes et Barry Z. Posner.

Designing Freedom, par Stafford Beer.

Effective Executive, par Peter F. Drucker.

Fifth Discipline Fieldbook : Strategies and Tools for Building a Learning Organization, par Peter M. Senge.

Fifth Discipline: The Art and Practice of the Learning Organization, par Peter M. Senge.

Global Learning Organization, par Michael Marquardt et Angus Reynolds.

Influencing With Integrity : Management Skills for Communication and Negotiation, par Genie Z. Laborde.

Jesus, CEO : Using Ancient Wisdom for Visionary Leadership, par Laurie Beth Jones.

Lateral Thinking : Creativity Step-by-Step, par Edward de Bono.

Leading With Soul : An Uncommon Journey of Spirit, par Lee G. Bolman et Terrence E. Deal.

Life and Work : A Manager's Search for Meaning, par James A. Autry.

Love and Profit : The Art of Caring Leadership, par James A. Autry.

The Magic of Conflict : Turning a Life of Work into a Work of Art, par Thomas F. Crum.

Managers Talk Ethics: Making Tough Choices in a Competitive Business World, par Barbara Ley Toffler.

Megatrends for Women, par Patricia Aburdenen et John Naisbitt.

Platform for Change: A Message From Stafford Beer, par Stafford Beer.

Six Thinking Hats, par Edward de Bono.

Soul of a Business: Managing for Profit and the Common Good, par Tom Chappell.

Spiritual Politics: Changing the World From the Inside Out, par Corinne McLaughlin et Gordon Davidson.

That's Not What I Meant! How Conversational Style Makes or Breaks Your Relations With Others, par Deborah Tannen.

Prévisions et tendances

Art of Long View: Planning for the Future in an Uncertain World, par Peter Schwartz.

Being Digital, par Nicholas Negroponte.

Engines of Creation, par K. Eric Drexler.

Global Brain: Speculations on the Evolutionary Leap to Planetary Consciousness, par Peter Russell.

Megatrends: The New Directions Transforming Our Lives, par John Naisbitt.

Turning The Century: Personal and Organizational Strategies for Your Changed World, par Robert Theobald.

White Hole in Time: Our Future Evolution and the Meaning of Now, par Peter Russell.

Une communauté à bâtir

Creating Community Anywhere: Findind Support and Connection in a Fragmented World, par Carolyn R. Shaffer et Kristin Anundsen.

Table des matières

Achevé d'imprimer au Canada

en juin 2004

sur les presses des Imprimeries Transcontinental Inc.